bouillon!

leesvoer
voor lekker-
en

En, want, het is nu dus echt de hoogste tijd voor een abonnement op Bouillon!

Leuk voor jezelf of je vriend of je moeder of je chef of je oma.

Nieuwe abonnees kunnen kiezen uit:

1 Een luxe doos met vier flessen Valderrama olijfolie. Een ontdekkingsreis voor avontuurlijke koks.

2 Ben je kookgek, dan ga je natuurlijk voor de twee kookboeken.

Voorwoord

Je bent topkok of krijgt dat stempel opgedrongen en je gaat puur voor de uitdaging het zogenaamde volksvoedsel verkopen: friet, saté, hotdog en hamburger. Na jaren van luxueus eten op tafel zetten, tegen exorbitant hoge prijzen, wil je laten zien dat je de mensen ook voor weinig kunt laten genieten. En dat werd tijd ook, zeg. Al die verspilling.

In het boek *Eenvoudig maar voedzaam*, van Jozien Jobse-Van Putten, lees ik dat burgermeester Tulp van Amsterdam in 1655 een wet uitvaardigde tegen het verspillen van excessieve sommen geld op de particuliere maaltijd. Toen dus al. Doordat de elite in die tijd elke gelegenheid aangreep om uitbundig te eten en te drinken, voelden sommigen zich verplicht hoge schulden aan te gaan om de feestjes te bekostigen en dat zorgde voor bittere ellende. Enfin, wie zich niet aan deze wet hield, riskeerde een boete. Maar de elite zou de elite niet zijn of ze betaalde sportief die boete vooruit, en die kwam in een pot voor de liefdadigheid, dus dat zat wel snor. Een soort Postcodeloterij: je bent weliswaar aan het gokken, maar voor een goed doel. Toen Tulp in 1672 zijn vijftigjarig lidmaatschap van de vroedschap vierde, serveerde hij melk met appels gekookt, stokvis, sla, haring en bier. Dat er daarna nog *met fyn, eierlijke gemaeckte suyker ende confyturen* zijn voorgezet, verzweeg hij. Dat zou getuigen van buitensporigheid en daar stond zijn eigen boete op.

Het leuke is dat nu ook *het gemene volk* zich anno 2016 een bezoek aan een van de betere restaurants kan permitteren. Via groupon en restaurantweek kost dat nog maar een habbekrats. De lol van het lekker patsen met geld bij Ciel Blue, De Librije of Parkheuvol is aan slijtage onderhevig, dus gaan we over op het eenvoudige, maar voedzame bakkie friet. Gemaakt van een regionale bio pieper en met huisgemaakte truffelmayonaise, dat dan weer wel.
Actie en reactie. Straks zit de elite in een grot, rondom een groot vuur met een varken aan het spit en een pot bier erbij. Spannend met van die lange schaduwen op de muur. Intussen doet het grauw zich tegoed aan fijnzinnige gerechten uit de 3D printer met een glas namaak Petrus erbij. Glaasje wijn, glazenwasser?

Bouillon! volgt de gastronomische ontwikkelingen op de voet of juist van afstand. Als het maar met plezier is, lukt dat wel.

Will Jansen, hoofdredacteur

 En ja hoor, ook Bouillon heeft een eigen facebook pagina: http://www.facebook.com/www.bouillonmagazine.nl

In bouillon

Coverfoto:

We hadden al eens eerder een coverfoto van **Peter Lippmann** (de lieflijke salade met bloemen, zomer 2012). De Amerikaan Lippmann woont sinds jaar en dag in Parijs. Hij publiceerde in Vogue, New York Times Magazine, Marie Claire en Le Figaro, dus je begrijpt dat we er trots op zijn dat hij het leuk vindt om zijn intrigerende **'Magritte neige lutte'** op de cover van bouillon! te zien. www.peterlippmann.com.

10

Vuurtoreneiland: Anderhalve eeuw geleden, lagen hier honderd man in de Stelling van Amsterdam de stad te verdedigen. Dat was een linie van vijfenveertig forten die op het moment van oplevering als verdediging volledig achterhaald waren. Waar nu de gasten van Brian Boswijk en Sander Overeinder genieten van recht door zee gerechten van hun chef Milas van der Plaats, liepen jonge jongens de wacht. **Will Jansen** en **Boye Jansen** lieten de wind eens flink door de haren waaien.

32

Een ruig ritje Hunan cooking. Twee vierkante meter vettige keuken, één wokpan, veel walm, tien kippenpoten en de brede lach van de taxichauffeur. **Sanny Visser** bekijkt het China van Mao met nieuwe ogen.

66

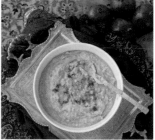

De hemel heeft overal dezelfde kleur:
Geuren en smaken roepen altijd herinneringen op. **Marja Slinkert** praat met immigranten over de keuken van thuis. Deze keer een gesprek met Minoo uit Iran.

106

Echt bier!
Bier drinken en vooral bier maken is populairder dan ooit. Pils is uit, bier met smaak en body eist de hoofdrol op. Vrouwen waren al bij de Mesopotamiërs belangrijk bij het brouwen van bier. **Will Jansen** en **Michiel Bussink** nemen je mee naar bierland.

71

Kommer en culinaire kwel:
Tweehonderd jaar geleden werd Charlotte Brontë, schrijfster van Jane Eyre, geboren. Wat vertellen de eetscènes in haar romans? **Kathy Mathys** neemt ons mee naar de sobere dis van de 19e eeuw.

All you need is Food

Voor de derde keer op rij gooit Robert Kroon zijn deuren open voor foodlovers met zijn top-evenement All you need is Food. Vrijdag 18 november voor de media en de professionals, zaterdag 19 november kun je er ook als gepassioneerde foodlover terecht. Dit keer in de oude Kookfabriek van Verkade in Zaandam. Je kunt er workshops doen en kennis vergaren bij de food&drinks-exposanten. De zaterdagbezoekers betalen entree. Naast de lezingen, proeverijen (oesters, champagne, Franse kaas, chocola etc), demo's en masterclasses houdt Onno Kleyn zijn grote culinaire kennisquiz. Net rond die tijd zal zijn boek De Grote Kleyn verschijnen. Op het binnenplein zijn er bbq-demo's en foodtrucks. All you need is food deelt de hele ruimte met het Bakery Institute, waar je alles kunt leren over het warme bakkervak.

**Abonnees van bouillon! krijgen € 5,00 korting op de entree.
Mail even naar redactie@bouillonmagazine.nl**
www.dekroonophetwerk.nl

ALL YOU NEED IS FOOD

media: vrijdag 18 november | foodlovers: zaterdag 19 november
Kookfabriek Verkade Zaandam

ALL YOU NEED IS Food

KROON OP HET WERK PRESENTS
COMMUNICATIEPROFESSIONALS

De familie Caron begint café in hartje Amsterdam

Binnenkort gaan de deuren open van Café Caron. Vader Alain, zijn vrouw Roel, zoons Tom en David gaan een vooral gezellig café beginnen in de Frans Halsstraat in Amsterdam. Ja, en je kunt er ook goed eten. Eenvoudig, minimalistisch bijna, maar mooi. Kleine kaart, pure producten. Hele kip voor vier personen in de Creuset of een zeebaars in zijn geheel. Veel van wat er op tafel komt, heeft Alain bij zijn zoektochten voor het tv-programma Binnenste Buiten ontdekt. Bijvoorbeeld aparte aardappelen met een sardientje. En aan de bar kun je, op zijn Frans, ook gewoon een salade eten. En, o ja, Alain Caron staat ook zelf achter de bar.

Roast Room gaat winkelen

Twee jaar geleden opende Michiel Deenik, recht tegenover zijn Vis aan de Schelde, de wondermooie Roast Room, onder de paraplu van de RAI. Daar draait alles om vlees van de Lakenfelder. De enorme beach-oven uit Australië, betegeld met Harlinger tegels, staat centraal. Met daarnaast een BBQ met Griekse houtskool, goed voor zo'n 360 graden, een echte *rotissoire* en de superpower van de Amerikaanse Southbend die zorgt voor 1200 graden. Restaurantmanager Jeroen Jochems: 'Het vlees komt in zijn geheel binnen en wordt verwerkt door een eigen slagerij. De hele koe dus. Boven geserveerd in exclusieve stukken, beneden gerechten met de minder gangbare delen.' In het najaar gaat de Roast Room drie dagen per week ook een winkel openen, waar je al dat lekkers voor thuis kunt kopen, met advies over hoe je dat het beste kunt bereiden. Een nieuwe trend in de maak. **www.theroastroom.nl**

Eten in de oorlogstijd

Van 15 oktober 2016 t/m 31 mei 2017 presenteert het Verzetsmuseum Amsterdam de tentoonstelling Eten in Oorlogstijd. Vijf Nederlandse koks zijn de uitdaging aangegaan om een gerecht te creëren met ingrediënten uit de bezettingsjaren: Edwin Florès, Julius Jaspers, Bobby Rust, Angélique Schmeinck en Pierre Wind. Wat werd er gegeten tijdens die vijf jaar bezetting? Was het ongezond of viel dat eigenlijk wel mee? Aandacht voor goed en gezond eten is een trend. Minder vlees, zuivel en vet en meer plantaardige voeding. We willen groenten van het seizoen, liefst biologisch of zelf verbouwd en wild geplukt. In de Tweede Wereldoorlog at men dat noodgedwongen. Het eetpatroon veranderde ingrijpend. Minder vet en vlees en meer groenten, granen, aardappelen en peulvruchten. Het dagmenu werd, tot aan de Hongerwinter van 1944-1945 in de westelijke steden, gezonder dan het was vóór 1940.

De koks laten in een film zien hoe je de gerechten bereidt en conservator Karlien Metz geeft er de historische context bij. Verder komen in de tentoonstelling uiteenlopende aspecten rond voeding in de oorlog aan bod. Zoals thee (op de zwarte markt kostte een pond 180 gulden, een maandloon), eten op de bon, surrogaten, de smaak van kat, het opraken van de haring en de schaarste van jenever. **www.verzetsmuseum.org**

Superkok Peter Gast maakt authentieke saus

Peter Gast en sauzenmaker Saus Guru uit Twello hebben een nieuwe saus ontwikkeld, die ze de Peruvian Aztec BBQ sauce, noemen. Gast, chef-eigenaar van 't Schulten Hues in Zutphen zegt: 'Het is een echte American BBQ sauce, gecombineerd met gerijpte Aji Amarillo pepers, Citrus soorten, koriander en komijn. Rijk en gevarieerd, zoals de Peruviaanse keuken.' Zowel het BBQ-en, zelfs in de winter, als de Peruviaanse keuken, zijn allebei ongekend populair. Mooie mix daar uit Zutphen dus.
www.saus.guru, www.schultenhues.nl

ROTZOOI
fermentatiefestival

De auteurs van Verrot Lekker (Christian Weij) en Over Rot (Meneer Wateetons) slaan de handen ineen en organiseren samen op zondag 25 september het ROTZOOI Fermentatiefestival. Dat wordt een leuk, smakelijk en leerzaam festival op een van de mooiste plekken van Amsterdam. Geen foodtruck festival, al kun je op de fermentatiemarkt natuurlijk de hele dag lekker eten en drinken, maar er zijn ook lezingen, demonstraties en workshops. Er is een startersruiltent en er zijn *fermented foodbattles* met koks en bartenders. Aan Rotzooi doen in elk geval mee: Meester Affineurs, Katje Lam, Ciderwinkel, Kleiburg, Uit het Vuistje, Joris Brood, Kefir.nl, Remeker, Kookpunt, Kramer en Oedipus.
www.rotzooi-festival.nl

Doodskist van overleden uienboer

Afrika010 is een fascinerende tentoonstelling in het Wereldmuseum in Rotterdam. Het weerspiegelt meer dan twee eeuwen culturele uitwisseling tussen Rotterdam en het Afrikaanse continent, vooral de kustgebieden. We zien krachtbeelden uit Congo, mantels en pruiken uit Nigeria en figuratieve doodskisten uit Ghana. De kisten weerspiegelen het beroep van de overledene. Een voorbeeld daarvan is deze doodskist voor een uienboer. Afrika010 is nog tot 8 januari 2017.
www.wereldmuseum.nl

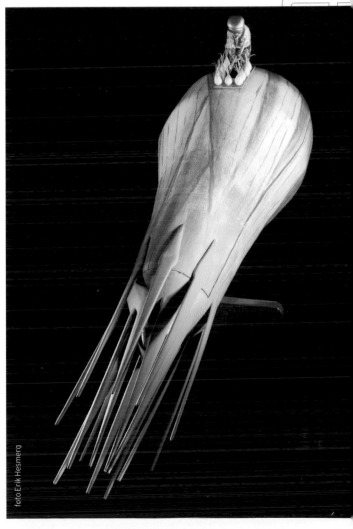

foto Erik Hesmerg

tekst **Will Jansen** | foto's **Boye Jansen**

Vuurtoren

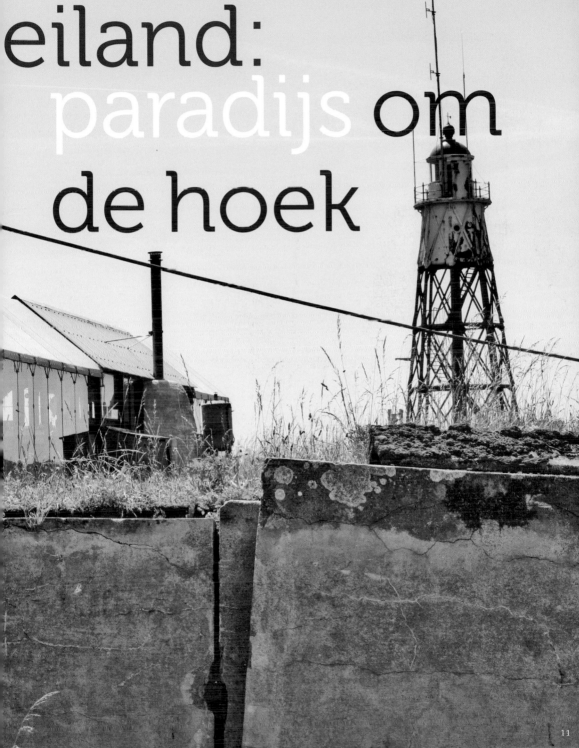

Het blijft hoe dan ook een wonderlijke locatie, dat Vuurtoreneiland. Anderhalve eeuw geleden, lagen hier honderd man in de Stelling van Amsterdam de stad te verdedigen. Dat was een linie van vijfenveertig forten die op het moment van oplevering als verdediging volledig achterhaald waren. Waar nu de gasten van Brian Boswijk en Sander Overeinder genieten van recht door zee gerechten van hun chef Milas van der Plaats, liepen jonge jongens de wacht.

eiland:
paradijs om
de hoek

Uit die tijd is nog veel terug te zien. De bunkers, de slaaphokken, allemaal gerestaureerd nu; hier en daar grote metalen roestbakken en het woonhuis voor de Boswijks. Het restaurant zelf, met dat hippe Amsterdamse sausje, is niet veel meer dan een glazen kas met houten ribben, afgedekt met golfplaat en dekzeil, goeddeels winddicht. Bij windkracht zeven, acht, is het geen pretje om hier een vorkje te prikken.

Wie met de antieke veerboot naar het eiland wil, moet alert zijn. Aan het begin van de maand gaan de zeventig stoelen via www.vuurtoreneiland.nl met duizend tegelijk in de aanbieding. Amper een half uur later zijn ze verkocht en zijn er nog steeds *4500 wachtenden voor u*. 'Een luxeprobleem, ja,' zegt Boswijk berustend. 'We zijn van alles aan het bedenken om al die teleurgestelde mensen ook aan bod te laten komen. Gelukkig gaan we dit jaar met het winterrestaurant beginnen in de bunkers.'

Maar goed, welke mafketel begint er aan een avontuur in een fort op een eiland? Forten met horeca of party-gelegenheid genoeg, maar op een eiland? Je fietst er niet zomaar effe heen. De boot vanaf de opstapplaats aan de Oostelijke Handelskade bij het Lloydhotel doet er een uur over. Een vorkje prikken bij Sander duurt vijf uur. Voor de prijs hoef je het niet te laten. Het hele verhaal kost vijfenvijftig euro, vooraf te betalen, en dan heb je op de boot al een trommeltje met ossenworst, brood, mosterd en een sprotje. Je kunt aan de bar ook al aan de wijn. Boswijk: 'We hebben geen last van no shows. Soms zeggen mensen om een goede reden af en dan proberen we nog wat te regelen. En je kunt altijd op de dag bellen. Er zijn wel eens vrije plekken.'

Welke mafketel? Brian Boswijk (1976) dus. 'Ik zeil veel, dus ik kende het eiland al. Mijn vader zag de advertentie van Staatsbosbeheer. Ze schreven een wedstrijd uit: het hele complex restaureren en openstellen voor publiek. Ons businessplan ging uit van de natuur van het eiland plus een intiem restaurant, met een puur ambachtelijke keuken. De aanbesteding was een ingewikkeld verhaal, vooral omdat Staatsbosbeheer zich heel formeel opstelde, met weinig bewegingsvrijheid voor de ondernemer. Alle risico's waren voor hem. Toch mochten we in 2013 twaalf weken proefdraaien. Het was een onmiddellijk succes, behalve dan dat de boel in de negende week afbrandde. Wonderwel ontdooide toen de relatie met Staatsbosbeheer: De boel netjes opruimen en gewoon verder gaan. Het succes en die coulante reactie bracht beweging in het proces. Toen zijn we de boel gaan afpellen naar een werkbaar niveau voor beide partijen. Eerlijk waar, het gaat ons vooral om het eiland en niet in de eerste plaats om het geld. We hebben behoorlijk geïnvesteerd, inclusief de boot die helemaal gerestaureerd is. Het herstel van de bunkers is gesubsidieerd door de Provincie en Brussel. Straks gaan we een deel van de bunkers gebruiken om brood te bakken en paddenstoelen te kweken en in het andere deel komt het winterrestaurant. Tja, ik kom nauwelijks van het eiland af. Mijn vrouw Ester vaker, die brengt ook de vier kinderen naar school. Zij is onvervangbaar, ook in

het restaurant. Zij is bijvoorbeeld degene die het team de gevoeligheid bijbrengt om oog te hebben voor de reacties van de gast. Ik doe het zakelijke, de organisatie, de boot, de schapen, de ganzen. Daar ben ik dag en nacht mee bezig. Zo'n verhaal gaat niet zomaar in één keer goed. Je moet de tijd nemen om het hele plan te veredelen. Met het winterrestaurant hopen we er meer stabiliteit in te brengen. Hoeven we niet telkens met een nieuw team te beginnen. Mensen die bij ons in de bediening werken moeten wezenlijk in de gast geïnteresseerd zijn. Niet *Heeft het gesmaakt?* maar *Vond u de gegrilde spitskool lekker?* Echte interesse, dat streven we na, naast natuurlijk de kwaliteit van de keuken.'

Het winterrestaurant, met het *sacrale licht* zoals Boswijk dat noemt, heeft vloerverwarming, zonnepanelen, ventilatiecirculatie en kookt op de restwarmte van de houtoven. Het duurzaamheidsverhaal consequent doorgetrokken.

De keuken werkt onder de ingetogen leiding van een oude bekende: Sander Overeinder (1971), eigenzinnige oogopslag met fijn grijs Dali-sikje, is eigenaar/chef van restaurant As aan het Beatrixpark in Amsterdam, met de onwrikbare reputatie van echt eten zonder flauwekul. In zijn jonge mannenjaren stoorde hij zich aan het leidinggeven met gedril. Chefs als Sistermans (Kersentuin), Imko Binnerts (Hotel de L'Europe), Christophe Royer (Christophe) en Van Hecke (De Karmeliet) stonden naar zijn smaak te veel op hun strepen. Pas onder Gert Jan Hageman (toen Vermeer nu De Kas) kreeg hij plezier en kennis aangereikt. Hageman kreeg voor hem vervolgens een stageplaats te pakken bij Chez Panisse van Alice Waters in Californië. 'Daar bepaalde de hele keuken, in samenhorigheid, elke dag het menu. Hele kalveren en lammeren kwamen er binnen. Vers geplukte paddenstoelen, wilde bloemen en supersappige perziken gingen zonder al te veel bewerking op het bord. Erg vooruitstrevend in de jaren negentig.' Terug in Nederland was de gehoorzaamheidskeuken voor hem een gepasseerd station. Hij wilde koken zonder al die onzin. In zijn eigen restaurant lukt dat sinds 1997 goed. Toen Brian Boswijk hem polste voor zijn ambitieuze plannen op het Vuurtoreneiland, hoefde hij niet echt lang na te denken. Intussen werkt hij er drie dagen per week met volle overgave. Het mag niet verbazen dat hij op Vuurtoreneiland zijn team aanstuurt zonder geschreeuw, met korte, vriendelijk gestelde vragen. Vertrouwen en verantwoordelijkheid zijn belangrijk. Het werktempo is gestaag. Alleen als stagiaire Omar Sanchez (Mexico) 'ja, maar' zegt, is er even een flits van autoriteit. 'Géén gejamaar.'

Bouillon! kan met de keukenboot mee. Die vertrekt om half twaalf vanaf het haventje van Durgerdam. Koks Robert Hein van Oppenraay (1982) en Noni Kooiman (1993) plus stagiaire Sanchez melden zich. Uit een kast komen kisten met spullen van De Lindenhoff. Vlees, groente, piepers, kaas. De vis is te laat, die wordt straks opgehaald. In een kleine sloep koersen we richting eiland. Rondom zien we het IJ, Durgerdam, de stompe toren van Ransdorp, het IJsselmeer en IJburg. Boven ons dalende vliegtuigen van Schiphol.

Een klein uur later starten ze de keuken op. De houtoven moet eerst schoon voordat er nieuw hout in gaat. Het opstoken kost ongeveer drie kwartier. Daarnaast is er een fornuis op gas en een grill op kolen. Buiten staat de rookoven. Oppenraay: 'Mooier kan toch niet? Ik werkte al een tijd bij Sander in As, dus ik weet hoe dat gaat met die houtoven. Vis en vlees doen we er in, we poffen bietjes en piepers en het brood bakken we even knapperig. Da's brood van Eef die ook As, Vermeer en Plek levert.'

En daar is restaurantmanager Mees List op haar duikfiets. 'Anders blijf ik heen en weer lopen.' Zij heeft bij Schiller gewerkt, net als Noni Kooiman. 'Ik had hier een keer gegeten en was meteen verkocht. Als je hier bij woest weer werkt, man, dat is prachtig. Of ik wijnvoorkeuren heb? We doen veel vin naturel omdat de wijnmaker zich daarin goed laat zien. Ik werkte in Parijs in een restaurant waar ze alleen maar vin naturel hadden. Het gaat om zuiverheid, liefde en respect.'

De houten vloer moet geveegd en bewaterd. Om een uur of één klinkt de noodkreet: 'Het water is bijna op, doe er rustig mee. Vanavond komt de waterboot pas.'

Om half twee eten we allemaal een boterham met ham en gebakken ei. Daarna is er een druk heen en weer naar de bunkers. Hout, flessen wijn, servetten, glaswerk.

Als het om producten en ingrediënten gaat, wil Overeinder zoveel mogelijk bio of beyond. 'Wat er niet is, is er niet. Ik ga geen bindsla uit Spanje gebruiken. Holland van boven naar beneden geeft variatie genoeg. We willen Noord-Hollandse boeren en vissers de kans geven. Liever rode mul dan makreel die van ver komt. Dit jaar zijn we beginnen te werken met de seizoen kalender. Ik kijk nu al uit naar de verse kapucijners. Onze kaart draait één maand en bij elk gerecht hebben we een alternatief. Hier op het eiland plukken we vlierbes, judasoor, dovenetel, brandnetel, kamille, klaproos en munt. Een paar koks komen uit Oost, die plukken onderweg in het Flevopark daslook, pinksterbloem en zevenblad. De locatie zelf selecteert ook. Als er iets niet is, hoef ik niet gauw wat te halen. Op is op, ik kook met wat er is. Nou ja en verder geen gewriemel. Ik wil mijn gasten verrassen met goede smaken en niet met allerlei gekkigheid. Dus geen gedecomponeerde coquilles en kruim van serranoham, maar echt herkenbaar eten.'

Al met al is het wel een combinatie die werkt: dat oude fort met zijn roestige accenten en de bijdetijdse Amsterdamse puurkeuken met zijn fermentatie-details. Het past bij elkaar.

Tegen de klok van vijf is er het personeelseten: gegrilde runderlende, gepofte biet en aardappel en gegrilde spitskool.

Dan gaan glazen, bestek en servetten op tafel plus een vaasje met bloemen. De keuken is even later volledig aan kant, alles blinkt. De schalen met een fantasie van wortel staan in het gelid.

Ester deelt mee: 'Vandaag één keer gluten, twee keer geen vis, drie keer geen vlees en vier keer zwanger. Aan de chef's table drie tweetjes en een drietje.'

Om zeven uur loopt de spanning op, dat is in elk restaurant hetzelfde. De oude veerboot met gasten is al te zien. Een kwartier later gaat het voltallige personeel naar de steiger om ze te verwelkomen. Een bak vol dertigers en jonge veertigers. Iedereen krijgt een hand. Eenmaal boven op het eiland zwermt de goegemeente uit. Bij al dat avondrood waan je je in het paradijs.

Het menu die dag?
Op tafel: brood, aangezuurde room, brood, eilandzout, bindsla en gepekelde augurk.
Voor: wortel in diverse bereidingen, eidooier, maggikruid en gedroogde kelp;
Tussen: escabeche van houtduif, gegrilde spitskool en raketsla;
Hoofd: makreel, biet, yoghurt en strandkrabbenjus;
Zoet: aardbei, curd van vlierbloesem en zuring.

tekst **Drees Koren** | foto **Floris Scheplitz**

De topchefs gaan op eenvoud. Ron Blaauw verkoopt hotdogs en saté, Robert Kranenborg hamburgers, Niven Kunz een eerlijk frietje en ook Sergio Herman is op de eenvoudige toer met zijn Friet Atelier Amsterdam. Is dat nieuw? Niet helemaal. Hans van Wolde kondigde jaren geleden zijn luxe snackbar aan. Dat misschien in navolging van twee sterren chef Christof Lang in Aken die al in 2007 in zijn Maier Peveling snackbar friet en frankfurter worst verkocht. Bouillon stuurde Drees Koren op pad om in haar Den Haag in de dure Venestraat, bij Friet Atelier Amsterdam eens een frietje te doen. Dit is haar brief aan Sergio.

Beste Sergio,

Ik heb eindelijk bij je gegeten. Dat kan je niet weten, want je was er zelf niet, dus ik heb je niet persoonlijk kunnen spreken. Toch wil ik je vertellen hoe het was.

Ik heb nooit af kunnen reizen naar je driesterrenrestaurant Oud Sluis, helaas. Toen ik genoeg geld had gespaard om daar te kunnen reserveren, sloot jij net de deuren. Best grof, vond ik, maar je had een goede reden: je wilde groeien, ook buiten het Zeeuwse Sluis. En daardoor kreeg ik nu een herkansing in mijn eigen stad, Den Haag, in je nieuwste concept. Een concept, zo noem je zoiets toch?

Het is geen restaurant, geen sterrentent, maar ook geen ordinaire snackbar. Het is een *beleving* met veel exclusiviteit en persoonlijke *signature*. Het ruikt er naar het parfum, exclusief ontwikkeld door jou. Het interieur is van Piet Boon en de servetten van Kamagurka, exclusief gedesigned voor jou. De sauzen zijn huisgemaakt, voor jou, waarschijnlijk niet door jou, maar uiteraard wel volgens recepten ván jou.

Weet je, Sergio, ik moest even wennen. Misschien was ik de enige hoor, maar ik dacht wel: Sergio Herman gaat in friet?

Hoe speciaal kan een patatje zijn? En: wat moet ik aan? Cocktail of gala? Boven of onder de knie? Waar ga ik nu eigenlijk heen? Uiteindelijk bleek ik met mijn *boven de knie* prima te passen tussen de spijkerbroeken en bermuda's. Je had me moeten zien.

Dan de frites. Uiteraard maak jij (of een van de vier koks die ik telde) die alleen van de beste aardappels, eigenhandig geselecteerd de meester zelf, door jou. Ik zie je al staan in dat Zeeuwse aardappel-veld. Ruig, robuust, in zwart-wit. Precies zoals op de foto aan de muur eigenlijk. Ik las ergens dat je het een pokkeproduct vond.

Het pokkeproduct werd een hele flinke friet, met een incredible crunch

Het pokkeproduct werd een hele flinke friet, met een *incredible crunch* van buiten en een bescheiden - maar niet verlegen - zachtheid van binnen. Soort van zoals ik me jou voorstel: Ruw en ongeschoren, maar niet te hard of taai. Subtiel gezouten. Zo perfect kan een frietje zijn.

Perfect is al best speciaal, maar – laten we eerlijk zijn – er zijn meer friterieën met ambitie, die ook een hele beste patat kunnen bakken. Maar ook een superfriet kan niet zonder saus. Dat weet jij, dat weet ik, dat weet iedereen,

dus moet de mayo het verschil maken. Ik heb ze allemaal geproefd: de *classic,* met truffel, met peper, met basilicum en de sauce béarnaise, dat mocht van de juffrouw met een blonde paardenstaart. Mijn favorieten waren de béarnaise en truffel, voor toch wat cachet, alhoewel ik de classic ook super vond, een beetje zuur en heel romig. Zou je nu nog een exclusieve tomatenketchup kunnen samenstellen, Sergio?

Uiteraard heb ik ook het allerspeciaalste besteld, de *frites sp*éciale. Die was dit keer met tomatenpoeder, Parmezaanse kaas, limoenrasp en basilicummayo. Weet je dat nog? Waarschijnlijk heb je inmiddels een andere anders-dan-anders variant bedacht. Deze smaakte een tik Italiaans, een tik aan de zoute kant, maar hoe dan ook superspeciaal. En – niet onbelangrijk – heel lekker. Net zoals de salade van quinoa, shiso, radijsjes en feta en de (exclusief door jou?) huisgemaakte ijsthee met citroengras en ananas trouwens.

Ik snap het wel hoor, Sergio. Je wilde groeien en met Frites Atelier Amsterdam heb je een concept bedacht waarmee je een pokkeproduct smaak, charme en waarschijnlijk een flinke marge kunt geven. En ik kan tegenwoordig met gemak elke dag bij je komen eten. En weet je wat? Misschien doe ik dat ook wel. Zie ik je daar dan een keertje?

Liefs, Drees

tekst **Henk Bente Aalbersberg** | foto **Emmanuelle Richard en Gerlinde Schrijver**

Home
is where
the heart is

Het was vrijwel windstil, zodat de bedwelmende, zoete geur van de bloemen haar omringde als wierook in een kapel. Deze herfst was haar boom nog mooier dan anders. Ze was klein en had een keukentrap nodig om bovenin de verdorde engelentrompetten af te snijden. De bloemen waren wel dertig centimeter lang en hingen roerloos tussen de fluwelen bladeren. *Als perfecte danseressen die ongeduldig wachtten achter de coulissen*, dacht

Beatriz. Hoe lang was het geleden dat zij zelf had gedanst? Teder streelde ze de bloem tot aan de krullende rand. Schitterende flamencojurken in adembenemend geel en maagdelijk wit. Ze ademde de geur in tot het haar duizelde en keek tussen de bladeren door naar de lucht. Boven de boerderij waren de wolken rood als de slotscène van een Disneyfilm. In het hok aan één van de schuren pikten de duivinnen koerend in hun voer.

Eten en wachten tot de doffers terugkwamen. Dat eeuwige wachten was de vloek van iedere vrouw. En elke avond staarde ze naar de lucht, maar

'Just wait... okay?' De Roemeen boog zich zwetend over de pannen. Spek, worsten en uien natuurlijk. 'Taste-just like ze home...' zei de man met een zwaar accent terwijl hij twee potten ingemaakte paprika in de pan leegschudde. 'This ies letscho. And dies you call... rassol?' Hij gebaarde vragend naar de augurken die hij met een zakmes in stukken sneed. Jan haalde zijn schouders op. Wat maakt het uit hoe een augurk heet in het Fries, het blijft een augurk. Jan pakte twee flessen bier uit zijn blauwwitte koelbox en wipte de dop eraf. Snel likte hij het schuim van zijn vingers en gaf de fles zwijgend aan de Roemeen. De flessen raakten elkaar en ze proostten in het Russisch. Jan leunde achterover en keek naar de lucht waar de rook van kleine barbecues en diesel onleesbare boodschappen schreef. Lange schaduwen schoven over het asfalt. Olie in een plas water toverde een onverwachte regenboog die pas brak toen een truck voorbij rolde. Vrachtwagens zochten hun plek in het steeds veranderende labyrint van de parkeerplaats. Autohof Lauenau: de avond viel snel en koel. Even gevangen in het felle licht van de koplampen, leken de reizigers reuzen, geprojecteerd op het zeildoek van hun trucks. Sigaretten gloeiden als dwaallichten in het donker. Het was geen hoger doel dat Jan en de Roemeen hier samenbracht. Zoals iedereen hier deelden ze een moment in een reis zonder bestemming. Honderdvijfendertig trucks uit twintig verschillende landen die op het ritme van hun tachograaf door een grenzeloos Europa trokken. *Home is where the heart is*. Een bordje dat thuis in de keuken hing. Misschien was het wel waar. Want zijn huis was nooit meer geweest dan een

de tijd stond stil en de wolken bleven leeg. 'Maldição...' vloekten haar lippen geluidloos. Ze spoog op de grond tussen de verwelkte bloemen. Toen stak ze een sigaret op en keek de rook na tot de sterren boven de boerderij verschenen. Zou hij diezelfde sterren zien, dacht ze, waar hij nu was?

onderdak. Misschien had hij zijn hart wel verloren aan deze oceaan van asfalt. Aan het eeuwig en onrustig reizen. Aan deze havens waar de nomaden kookten op gasstelletjes tussen de Dunlops en de Continentals. Altijd onderweg. Net zo lang, tot thuis niet meer is dan de geur van de soep die je deelt met een naamloze reisgenoot. 'Soljanka!' gromde de Roemeen tevreden smakkend. Paprika en paddenstoelen, augurken en varkensvlees. Het zoet en het zuur van het ontwortelde bestaan. Truckers zijn geen praters. Zwijgend knikte Jan toen de Roemeen een scheut wodka in zijn soep goot en lachte: 'Just like ze home, yes?'

'Da.' loog Jan.

Een melkwitte duif vloog, zijn vleugels fluitend in zijn verdwaalde vlucht, tussen de vrachtwagens door. Jan keek hem met een kennersblik na. Een mooie doffer, maar als hij zo laag vloog zou hij nooit op tijd thuis komen. Hij had van zijn vader geleerd dat een echte kampioen altijd honger heeft als hij vliegt. In het hok in Friesland zaten nog drie afstammelingen van Lucky White, de doffer die zijn vader in de laatste wedstrijd voor zijn dood onsterfelijk had gemaakt. Bij wijze van spreken dan. Van zijn 36 duiven waren er nog maar weinig over. Een buurman nam de doffers soms mee bij een wedstrijd om in beweging te blijven. Soms droomde Jan dat hij de rust zou vinden om weer te gaan *spelen* met zijn duiven. Fokken, trainen en weer wedstrijden vliegen… De gedachte verdween in het eindeloos zingende asfalt. Een monotone fado, gecomponeerd door duizenden rubberbanden. Beatriz had

die onrust nooit begrepen en hij had niet geprobeerd het uit te leggen. Hij haalde zijn schouders op en deed zijn klompen aan. Wat maakt het uit? Liefde is in het Fries precies hetzelfde als in het Portugees of in het Pools. Het was genoeg te weten dat Beatriz op de boerderij voor zijn duiven zorgde en op hem wachtte. Hoe lang dat ook duurde.

Jan had geen heimwee. Zelfs niet toen de deur van de camper open ging. Haar grote borsten werden rood verlicht. 'Just like ze home.' lachte ze met een Pools accent. Toen doofden de knipperende letters *OPEN* voor de voorruit en werd het nacht.

'Esperar, wagggten,' schold Beatriz en ze klom de keukentrap op. De rook van haar sigaret prikte in haar ogen terwijl ze de lucht afspeurde. Onrustig koerden de duiven. Vandaag of morgen zouden de doffers terugkomen. En Jan, beloofde ze zichzelf. De duiven pikten in hun veren alsof ze zichzelf gerust wilden stellen. Haar mes vond als vanzelf de verdorde kelken. Ze deden haar denken aan haar trouwjurk die ze droeg in het kerkje van Dokkum. Van de dienst had ze geen woord verstaan. Ze zuchtte toen ze zich de nachten in Mouraria herinnerde. Dansen in de armoedige buitenwijk van Lissabon waar ze Jan had ontmoet. Bijna twee meter lang was hij en stil als dit land waar hij geboren was. Het was liefde op het eerste gezicht, plotseling en hevig als een hartinfarct. En ze geloofde dat ze hem zou leren dansen, die stijve Hollander. Haar hart zou hem verwarmen, leiden en hij zou volgen. Maar steeds opnieuw verdween hij en liet haar achter met zijn duiven. Haar gedachten werden onderbroken door het geluid van een enkele duif. De anderen hadden de reis niet overleefd, begreep ze onmiddellijk. Dagen te laat landde de doffer tussen de verdorde bloemen en pikte lusteloos tussen de tegels. Ze nam de vogel voorzichtig in haar handen, even wiekte hij onrustig. Veren streelden haar wangen en ogen. Nu was hij eindelijk thuis en mocht hij eten. Voorzichtig liep ze naar binnen waar het koel was. Zacht streelde ze de stoffige veren. Ze doopte haar vinger in een kommetje water en hielp het beestje drinken. Ze danste met de duif, troostte hem in het Portugees en voelde het hart van het beestje wild kloppen onder het zachte dons van zijn borst. Toen knielde ze op de tegels en vouwde haar handen alsof ze bad. Ze kneep niet, dat was niet nodig. Een groot hart vol liefde en haar twee tedere handen waren genoeg. Het duurde maar even, een paar seconden. Toen voelde ze het hartje niet meer en rustte de kop van de doffer op haar wijsvinger, starend naar een bordje dat boven de keukendeur hing.

De duivinnen lieten zich gemakkelijk hun hok uit lokken met een handje voer. Postduiven zijn topsporters. Zeker marathonduiven en dagfondduiven die wel duizend kilometer vliegen of meer. Wat overbleef waren een paar donkerrode karkasjes die net op een eetlepel pasten. Neuriënd maakte ze het aanrecht schoon. Een glas water per duif. Dan uien uit de moestuin, donkerbruin gebakken met wat honing. Wortel natuurlijk, wat prei, jeneverbes en andere kruiden. Bouillon. Dit recept was zo eenvoudig, dat het overal ter wereld hetzelfde moest zijn. Beatriz bakte het vroege eekhoorntjesbrood dat ze had gevonden onder de eiken voor het huis samen met wat port. Vier uur gaarde de bouillon van kampioenen. Maar soms is koken niet genoeg om je man thuis te houden, had haar moeder voorspeld. En daarom roerde Beatriz in de theepot waarin vier van haar verwelkte feeën een trage rondedans deden. Ze keek naar de lucht die nog leger leek dan gisteren, naar de bloemen die als doodstille danseressen in haar boom hingen. Zij noemde haar Engelentrompet en fluisterend *dievenboeket* en wist dat de lijfarts van Napoleon, de werking van de Brugmansia bloemen had ontdekt. In haar familie was al eeuwen bekend dat een paar druppels van het extract volstaan om een man zo volgzaam te maken als een oude herdershond. Beatriz dacht aan haar vader: genoeg om een rusteloze zeeman te veranderen in een *zombie* zonder geheugen.

Een rilling van opwinding gleed langs haar ruggengraat. En als vanzelf danste ze door de keuken. Een fado vol verlangen. Dit was thuis: een kaars, wijn en geurige bouillon. De koelte van de avond in de keuken en de stilte buiten in het duivenhok. Ze vouwde haar handen in haar schoot en glimlachte. Ze zou hem nooit meer laten gaan. Plotseling stond ze op om de bouillon in de borden te schenken. Ze schikte de gebakken hartjes met wat paddenstoelen in de diepe borden nog voor ze de zware banden op het erf hoorde. Eén bord met een borrelglaasje van de bloemen. Boerenbont met een barst. Jan Jacob was thuis, voor altijd thuis.

thewinesite.nl
gaultmillau.nl

wine-professional.nl

jaargidswijn.nl

tekst **Esmee Langereis**

Côte de bouillon!

Zuid-Afrika

'Het gaat niet goed met Zuid-Afrika,' verzuchtte de vader van mijn vriendin T, wijnjournaliste in Engeland. T had mij haar logeerkamer aangeboden na een tasting in Londen en we zaten nu aan de koffie in haar Tudoriaanse plattelandscottage. Beiden een beetje brak, want de avond ervoor hadden we nog wat research gedaan in haar omvangrijke wijnkelder. Dad en Mum waren vroeg naar bed gegaan, zodat wij vrijuit konden bijpraten. Over hoe het is als je gepensioneerde ouders opeens bij je intrekken. Daar kan je wel wat wijn bij gebruiken. We hadden de avond afgesloten met een fles Steen van Adi Badenhorst uit het Zuid-Afrikaanse Swartland.

Haar ouders, geboren en getogen blanke Afrikanen, waren amper drie dagen eerder van Jo'burg naar Engeland verhuisd. Een samenloop van omstandigheden had ze hiertoe doen besluiten. Nooit eerder in Europa gewoond en nu dus in bij hun dochter en haar man. Voorgoed, zoals het er naar uitzag. Gelukkig was het toevallig mooi weer.

'Ik dacht dat het beter ging?' zei ik vertwijfeld. De afgelopen decennia leek er toch een stijgende lijn te zitten in de ontwikkeling van het land. Apartheid is afgeschaft en ook de Zuid-Afrikanen weten nu dat Rodriguez nog leeft. Maar misschien was mijn perceptie door onwetendheid gekleurd of door een onvermijdelijke vergelijking met Europa, dat sneller lijkt af te brokkelen dan de Franse Opaalkust. Ik begon maar niet over Brexit.

Ik had in 2013 Zuid-Afrika bezocht en was toen meermaals gewaarschuwd: Niet met open ramen rijden en nooit stoppen voor rood licht op een afgelegen weg. Voor vertrek was ik best zenuwachtig, maar eenmaal daar verdween dat gevoel snel. Ongeveer een uurtje na landing op Kaapstad, als je eenmaal de township Khayelitsha gepasseerd bent, verlies je je in de schoonheid van het landschap en de wonderbaarlijke lichtinval. Helemaal als je niets anders doet dan van wijnhuis naar wijnhuis rijden en enkel blanke wijnmakers spreekt. De problemen onttrekken zich aan het zicht. Wat je wel ervaart is prachtig weer, heerlijk eten, ongelooflijke natuur en mooie wijnen. Het was toen oktober, de maand dat in Zuid-Afrika de lente begint en we ons in Nederland voorbereiden op Sinterklaas. Een zekere avond waren we uitgenodigd op boerderij Meerlust van Hannes Myburgh, een telg van een oude boerenfamilie die al generaties wijn maakt in de buurt van Stellenbosch. Toen de deur werd opengedaan door een donkere man dachten we aanvankelijk dat hij bij het personeel hoorde. (Je hebt zelf niet door hoe snel je geconditioneerd raakt.) Het bleek echter Hannes zijn partner James te zijn. Samen kookten ze een maaltijd voor ons in de indrukwekkende achttiende-eeuwse boerderijkeuken. Bijzonder. Een Afrikaanse blanke boer die een relatie heeft met een donkere man. En dat niet wil of hoeft te verbergen voor de pers. Geeft een mens toch hoop. Vrijdenker zie je het zelden. Ik raakte enthousiast. In Nederland was precies op dat moment de Zwarte Pietendiscussie feller dan ooit. Ik wilde wel eens weten hoe Hannes en James daar tegenaan keken. Terwijl ik mijn vraag inleidde werd ik onder de tafel tegen mijn schenen geschopt door de persbegeleidster. Zij snapte waar ik heen wilde en stak daar resoluut een stokje voor. In het Nederlands legde ze me uit dat dit een brug te ver was. Na wat te hebben tegengesputterd liet ik het erbij zitten. Ik wilde niemand schofferen. Maar Hannes

had ons Nederlands onderonsje aandachtig gevolgd. 'Ek het gelukkig nog altyd my eie Pietje', zei hij in het Afrikaans terwijl hij James een kusje gaf.

Een ingewikkeld land. De wijnen zijn dat dan weer niet. De volgende selectie is in ieder geval heel zuiver op de graat.

Sadie&Adi

De coolste wijnmakers van Zuid-Afrika zijn de zogenaamde Swartland Independents. Een bevlogen groepje surfende winedudes dat zich vestigde in het ruige Swartland, een van de oudere wijngebieden waar lang niet veel gebeurde. Adi Badenhorst, Eben Sadie, Chris Mullineux en gelijkgestemde pioniers maken er nu furore. Hun wijnen verschillen in stijl, maar hebben gemeen dat ze volledig op kwaliteit en terroir gericht zijn. Eben Sadie van de The Sadie Family Wines wordt wel gezien als de vaderfiguur van de groep. Hagelwitte tanden, vijfentwintig fuck's per minuut en gespierde bruine armen, waarmee hij eigenhandig de oude stokken vertroetelt. Zijn wijnen zijn prijzig, maar verrukkelijk (Wijnkooperij De Lange). Een andere opmerkelijke Swartland cowboy is Adi Badenhorst, op zijn hippieboerderij met platenspeler en moestuintjes. Maakt heel toegankelijke wijn, en doet daar vooral niet te moeilijk over. Wijn is om te drinken, niet om over te lullen (Gall&Gall).

Blij ei
Reyneke Pinotage 2012
€ 18,50 bij daxivin.nl

Johan Reyneke is filosoof en biodynamisch wijnboer in Stellenbosch. Heeft een bobbelig visitekaartje, met als beroep de vermelding Vine Hugger. 'Die bobbeltjes zijn zaden. Als je het in de grond stopt en water geeft dan groeien er kruiden uit.' Stralende lach. Johan zou kunnen overkomen als een blij ei. Wie zijn wijn drinkt raakt daar acuut mee besmet.

Linzenzone
2015 Savage White
€ 28,60 bij wijnkooperijdelange.nl

Topwijnmaker/grijzende surferdude Ducan Savage ontving ons in 2013 bij Cape Point winerie, maar maakte toen ook al eigen wijnen. Hij onderscheidt twee zones in ZA: de boerenworszone (boeren) en de linzenzone (hippies). Hij begeeft zich in die laatste sferen en maakt wilde wijnen die tegelijkertijd elegant zijn en licht in alcohol. Heerlijk.

Rechteroever

De Toren Z 2012
€ 29,95 bij wijnkooperijdelange.nl

Klein-Bordeaux in Afrika. De Toren doet er alles aan om tot de Bordelaise chic te horen, met luxe schenkverpakkingen aan toe en een proefkelder die zo beschimmeld is dat je de wijn niet meer kunt ruiken. Maar! Authentiek! Doet gelukkig niets af aan de kwaliteit van de wijn. Merlot-frambozen, pruimkaneel en rozenbottels. 'Z' van 'Ze best' volgens eigenaar Emil den Dulk.

Compleet lazarus

Lanzanou, Chenin Blanc Chardonnay Viognier 2015
€ 10,50 bij daxivin.nl

Lazanou is een kleine wijnboerderij in Wellington, Zuid-Afrika. De 5.5 hectaren worden tot in de puntjes biologisch bewerkt door sympathieke grijze beer Joseph Lazarus en zijn vrouw Candice. Van deze sappige blend worden maar 533 cases gemaakt. Boffen wij even! Bescheiden neusje van witte perzik en bloesems en dan een gulle mond vol peren en laurier. Geen hout te bekennen.

Daklozenwijn

Seven Springs Syrah 2013
€ 11,75 bij wijnexpert.nl

Geproefd voor mijn bijbaantje bij Hamersma. Mjam! Seven Springs heeft nog niet eens een eigen kelder, maar wijnmaakster Riana van der Merwe weet al hoog te scoren met de riemen die ze heeft. Ook internationaal. De filosofie voor de wijnen is: hands-off. Weinig interventie dus. Dat laat deze Syrah vrij om vrijpostig te zijn met zuren en peperigheden. Slobbermateriaal.

Methode Cap Classique

Pongrácz Cap Classique
€ 13,99 bij Gall&Gall

Pal aan de weg van Kaapstad naar Stellenbosch ligt de pompeuze glitz&glam winecellar van Pongrácz. The only gay in the village leidde ons via de kelder met twee miljoen flessen sparkling naar de proefpoef in de met diamanten behangen loungehoek. Totaal over de top. Maar de wijn is uitstekend. Huisbruis bij ons thuis.

tekst en foto **Sanny Visser**

Twee vierkante meter vettige keuken, één wokpan, tien kippenpoten en de brede lach van de taxichauffeur.

Een ruig ritje
Hunan
cooking
(en de beste
kippenpoot ooit)

De grauwe lucht miezerde fijne regen. China, vrijdagmiddag lunchtijd. Ik was samen met een Chinese tolk onderweg naar het grootste Chinese restaurant ter wereld: West Lake Restaurant in Changsha, provincie Hunan. Daar stuurt een kordate communistische tante ruim driehonderd man personeel aan, die dagelijks 3.500 eenden slachten voor 5.000 gasten. Kijk het Guinness Book of Records er maar op na.

We hielden een taxi aan. Toen mijn tolk de chauffeur vertelde wat we gingen doen, hoorde ik hem gniffelen. Wat was er zo grappig? De tolk vertaalde: 'Hij denkt dat het restaurant no good is. Is only for Chinese weddings. Zelf eet hij liever in kleine restaurantjes. Much better.'

Die reactie kreeg ik tot nu toe van elke Chinees die ik vertelde in West Lake Restaurant te willen eten. Het was alleen voor grote feesten, om te laten zien hoe rijk je bent. Food not so good. Very expensive. Maar ik had in mijn zes weken Hunan, de provincie waar dictator Mao Zedong het levenslicht zag,

nog niet één keer het favoriete gerecht van de verguisde leider geprobeerd: red braised pork. Juist ja, de specialiteit van West Lake.

Al toeterend en schuddend zetten we koers richting het restaurant. Ik was wel benieuwd wat de chauffeur dan zelf at. De tolk: 'Hij houdt erg van koken en doet dat vaak voor vrienden. Als we eenmaal zijn kip proeven, zullen we dat nooit vergeten.' Een gedurfd

ingrediënten zoals in Oost-China. Wel veel gedroogde chilipepers, alle delen van het varken, groente, een hete vlam én de Chinese driehoek: gember, lente-ui en knoflook.

Nadat de taxichauffeur schalen vol eten had geproduceerd, terwijl ik driftig krabbelend op mijn kladblok toekeek, konden we aan tafel. We bejubelden het eten, bespraken de Chinese politiek, trokken biertjes open, rookten sigaretten

De Hunan keuken is een als een rake klap in je gezicht, eentje waarvan je wang nog lang nagloeit.

statement en wat mij betreft een open uitnodiging voor een kooklesje. Onze lachende taxichauffeur, die met zijn ronde gezicht deed denken aan een grote Boeddha, reageerde verlegen toen we het hem vroegen, maar gaf toch zijn telefoonnummer. Drie dagen later stapten we de stomerijwinkel van zijn vrouw binnen, waar de taxichauffeur achterin een gloeiendhete wok in een klein keukentje bestierde. Tussen de winterjassen en pantalons aan het plafond, was voorin de winkel een tafel uitgeklapt met zeven stoelen.

De Hunan keuken is een als een rake klap in je gezicht, eentje waarvan je wang nog lang nagloeit. Heet en recht voor z'n raap. Geen subtiel zoetje en kleine tintelingen zoals in Sichuan, of delicate onder de net gestoomde jassen, en maakten foto's. De man had gelijk, zijn kippenpoten waren de lekkerste die ik ooit at. Onvergetelijk, ook al had zijn grote glimlach daar een aandeel in.

Overigens kun je een etentje bij West Lake Restaurant inderdaad prima overslaan. De red braised pork van Mao doet het wèl heel goed op een nuchtere maag, na een avondje Tsing Tao bier. Vet en vullend.

Het recept voor de lekkerste kippenpoot ooit:

Haal een stuk of tien kippenpoten, van goede kwaliteit. Spoel ze af en bestrooi met zout. Hak zes of zeven knoflooktenen fijn, een flink stuk gember, drie lente-uien en drie gedroogde rode pepers. Gooi dit in een hete wok met een flinke laag arachideolie en laat goed bakken. Schenk hierbij een scheut sojasaus, Chinese azijn en sesamolie. Doe de kippenpoten er bij en bak totdat ze goudbruin zijn. Schep af en toe om met een spatel. Haal de kippenpoten uit de olie en verdeel de knoflookmix uit de wok hierover. Let op: probeer geen olie op te vangen op een stukje keukenpapier, het mag lekker vet zijn. Serveer gloeiend heet (en met servetten).

Olijven voor
Ferran

Die tentoonstelling *Notes on Creativity*, ging niet over hoe goed of lekker de gerechten van ElBulli waren, maar richtte zich op de werkwijze van Adrià. Het was een terugblik. Een gang vol aandoenlijk eenvoudige schilderijen en tekeningen over de culinaire evolutie, wanden vol aantekeningen en krabbels, plus een verzameling serviesgoed en keukengerei. Verder was er geen kruimel of geurspoor te ontdekken.

tekst **Lot Piscaer** | foto's **Marres Kitchen**

Het is wel even geleden, maar toen Ferran Adrià in Maastricht bij Marres arriveerde voor de opening van de aan zijn werk gewijde tentoonstelling, kreeg hij bij binnenkomst een kop sterke koffie en een schaaltje groene olijven. 'Gewoon, om hem welkom te heten,' vertelt Maher Al Sabbagh, chef-kok van Marres Kitchen. Sinds enkele jaren kookt deze, van oorsprong Syrische, chef in het restaurant van het Maastrichtse museum.

De pers kreeg bij de opening een heerlijke lunch uit Marres Kitchen, het domein van Maher Al Sabbagh: gefrituurde bloemkool, tuinbonen, linzensoep en een uitbundige salade met zeevruchten. Eenvoudig en vers bereid, in een keuken met een enkele elektrische kookplaat als voornaamste hittebron. Verre van ideaal en een nogal groot contrast met al die ElBulli keukenapparatuur, hightech materialen en dito ingrediënten.

Al Sabbagh, die ook jaren in Italië woonde en kookte en daarna in Rotterdam belandde, maakt vooral de recepten van zijn oma. 'Mijn oma kookte met veel toewijding. Ze reisde intensief de regio rond om meer te leren over de gerechten. Ik was altijd bij haar in de keuken, op de binnenplaats van ons huis in Damascus. De fontein in het midden diende als koelkast. Eerst stuurde ze me weg, maar ik hield vol en mocht haar gaan helpen. De manier waarop zij omging met ingrediënten was bijna meditatief: hoe je balans aanbrengt tussen tahini, citroensap en kikkererwten. Welke kikkererwten je gebruikt en waar ze vandaan komen. Hoe ze een courgette droogde en er een taartje van maakte. Met hele simpele bewegingen, weinig ingrediënten, zonder opsmuk. Dat is een levensstijl. Ik denk dat ik kok ben geworden omdat ik bepaalde smaken wil

vasthouden. Omdat ik weet hoe *kibbeh* kan smaken, en dat je bang bent dat je het nergens anders kunt krijgen.'

De contrasten bleven groot. Op de tentoonstelling was het een hele uitdaging om Adrià's aantekeningen te ontcijferen. De meesten waren gemaakt op ElBulli-briefpapier, maar ook op servetten en zelfs kotszakjes dienden als canvas voor zijn creatieve invallen. Als je al iets kon ontcijferen bleef je steken bij kreten als *mentale smaakzin, innovatie*, of gewoon *omeletus*. De spiegelzaal met serviezen en speciaal ontworpen bestek was prachtig, al kon je vraagtekens zetten bij het doel van de als relikwieën uitgestalde miniwortel, een half afgepelde mandarijn en boterhammetjes van plasticine. Men zei dat ze bedoeld waren om de gewenste snijtechnieken duidelijk te maken aan de vele stage-koks van ElBulli. Adrià werkt veel met tijdelijke koks, elk jaar opnieuw. Ze hoefden niet per se te kunnen koken, want ze waren meer *instrumenten.*

Al Sabbagh werkt met zijn zoon Mautaz en met Farid, een Afghaanse jongen die hij ontmoette in de keuken van een Indiaas restaurant in Rotterdam. 'Ik had er gegeten en wilde weten wie dat heerlijke naanbrood had gemaakt. Daar stond Farid, amper zestien jaar oud. Hij dacht dat ik het brood niet goed vond, toen ik de keuken binnenstapte. Later zag ik hem weer toen hij toevallig langs mijn restaurant De Unie liep. Vanaf die dag werkt hij bij me. Ik heb hem de Italiaanse keuken bijgebracht, nu koken we gerechten uit het Midden-Oosten. Mijn zoon Mautaz heeft ook zijn plek gevonden in de keuken. Ik leer hem het vak. Ik zei tegen hem: je maakt een bord eten alsof het voor jezelf is, je geeft dat aan iemand anders. Als hij het goed heeft gevonden, zal hij je betalen voor dat eten. Dan ben je kok.'

Tijdens zijn verblijf in Maastricht kookte de maestro niet. Adrià's verklaring? 'Ik ben geen cateringbedrijf, maar kunstenaar.'
'Jammer,' zei Al Sabbagh, 'heel Nederland eert je, maar wat geef je terug? Je kunt toch iets voor die mensen maken?'
Toch was Al Sabbagh trots dat hij hem mocht verwelkomen. 'Het is een inspirerende, energieke man. En een geweldige kok natuurlijk. Vooral zijn familiekookboek vind ik prachtig. Ik kijk er graag in. Adrià heeft het boek gesigneerd. Hij vroeg wat ik maak bij Marres. Ik vertelde hem: De recepten van mijn oma, eigenlijk. Ik kook antieke gerechten, uit Syrië, Perzië, de hele Levant. Traditionele gerechten als hummus, mezze, tabbouleh, baba ganoush….'
'De *traditionele* keuken bestaat niet. Elke tien jaar is er een nieuwe generatie die wel iets verandert aan recepten,' zei Ferran Adrià.
Al Sabbagh antwoordde: 'Nou, nee hoor. Maar misschien komt dat omdat mijn cultuur iets ouder is dan de Spaanse? Er zijn gerechten die al hetzelfde zijn sinds de twaalfde eeuw. Het is niet makkelijk, traditionele gerechten maken, want het is moeilijk om de juiste balans te vinden tussen de ingrediënten. Neem hummus.

Als je tien mensen de ingrediënten geeft, krijg je tien verschillende hummussen terug.'

Al Sabbagh serveerde Adrià een schaal met cerignola olijven. 'Ze worden niet in zout of zuur bewaard, maar in kalk en water. Daardoor blijft hun heldergroene kleur behouden, gaat de olijf van binnen niet kapot en blijft heel knapperig. Het is een mooi proces.' Adrià at er zeven op.

tekst en foto's **Will Jansen**

Voor het eerst liep ik hem tegen het lange lijf toen ik voor een reportage op pad was met Alain Caron. Hij werkte toen bij Hotel Castell d'Empordà in Catalonië. Hij stak bijna een meter boven al zijn Spaanse collega's uit. Caron kende hem van Le Garage en het weerzien was een feest. Dik tien jaar later komt hij zich schuchter melden tijdens een proefsessie in Maastricht. Of ik niet eens met hem op pad wil langs zijn leveranciers? Maar zeker wil ik dat!

Joachim Müller

en zijn leveranciers

Joachim Müller (1971) is sinds 2010 in vaste dienst bij het Zuid-Limburgse familiehotel en restaurant Gerardus-hoeve. Het hotel ligt in Heijenrath, het restaurant, met dat onwaarschijnlijk mooie panorama, in Epen. Het kan allemaal nauwelijks *Bourgondischer*, zoals de Zuid-Limburgers zichzelf graag omschrijven.

Müller is geboren Heerlenaar. Zijn koks-carrière loopt via De Kievit in Wassenaar, Seinpost in Scheveningen, l'Auberge in Weert, Le Garage in Amsterdam, Hotel Castell d'Empordà in Spanje, Toine Hermsen in Maastricht en Eyserhalte in Eys Wittem. Dat is een imposante cv. De reislust zit hem in het bloed, kennelijk. 'Het is goed voor een jonge kok om zijn comfortzone te verlaten.' Maar nu dus Zuid-Limburg. 'Was ik alleen, dan was

---

Wat klopt er wel bij elkaar en wat niet? Het is vooral een gevoelskwestie.

---

ik op pad, maar voor mijn vrouw Myrthe en mijn dochters Selma en Benthe wil ik zorgen voor een echte thuishaven. Dus daarom Zuid-Limburg. Ja, waarom vertrek je van een bruisend bestaan bij Le Garage naar een boerendorp in Catalonië om te gaan werken bij een hotel in opbouw? Dat is gewoon mijn gevoel. Zo kook ik ook. Het is mijn hobby en mijn vak. Lekker bezig zijn met echte smaken. Wat klopt er wel bij elkaar en wat niet? Het is vooral een gevoelskwestie.'
Hij legt het allemaal uit in zijn grote, moderne keuken, waar een man of tien goed de ruimte hebben om te werken. Met achterin de negenpans pannenkoekbakmachine, het fundament onder de omzet. Op volle toeren kan hij negen pannenkoeken per drie minuten aan. Er zijn zomerdagen bij dat hij er 450 verkoopt. Zelfs Toine Hermsen kwam, om van Müllers pannenkoek te

smullen. Maar de à la carte kaart mag er zeker ook zijn. Denk bijvoorbeeld aan de amuse met eenden bloedworst en een bitterbal met konijn, de zelfgemaakte wild zwijn terrine of de dry aged biefstuk van sukade. Opmerkelijk is de speciale wijnkaart met maar liefst twaalf Limburgse wijnen. Van Thorn tot Le Coq Frisé en van Villare tot Cuvé des Amis

Als we praten over zijn carrière, staat hij wat langer stil bij Edwin van de Goor van de Seinpost: 'Ja, niet iedereen loopt weg met die man, maar voor mij was hij een groot inspirator. Hij weet ontzettend veel van de keuken en de wijnkaart. Bij Le Garage was het vooral zaak dat je jezelf goed verkoopt. In Spanje was ik een soort stagiaire-vader. Het was best zwaar daar, want Spanjaarden moesten wennen aan mijn manier van aansturen, dus had ik elk jaar een nieuwe chef de partie. Dat waren vaak jongens van Le Garage, die het super vonden om in het buitenland te werken. Maar dat ritme van slapen werken, slapen, werken, zes maanden lang, breekt die jonge jongens op. Dan had ik het jaar daarna weer een nieuwe brigade. Hup, van voren af aan beginnen maar weer.
Het is best moeilijk om jezelf te blijven. Ga er maar aan staan bij Le Garage, met Joop Braakhekke als alles bepalende creatieve katalysator en al die mensen *die erbij willen horen*. Ik zal nooit koken omdat anderen het geweldig vinden of met alleen maar dure dingen zoals tarbot en kreeft. Le Garage was toch een trein die al vaart had, en waar je net nog in kon springen. Alles moest en kon daar. Ik kon in volle service fazant bereiden, met à la minute gemaakte, karkas getrokken saus, en boutjes erbij (Joop likte zijn

vingers erbij af). Heeft Pieter Damen me geleerd, de beste rotisseur die ik ooit ben tegen gekomen. Maar goed, uiteindelijk draait het allemaal om de smaak en niet om het plaatje. Dat weet ik nu. Kijken, ruiken, proeven. Kan er een zuurtje bij om de smaak op te beuren, dan zal ik het niet laten. Zuur is het ondergeschoven kindje. Ik ben altijd intensief op zoek naar de echte smaak. Dat lukt wel in deze streek. Er is veel culinaire traditie, daar houd ik van. Het hoeft geen schilderij te zijn, als het maar goddelijk lekker is.'

Met die opdracht kruipen we achter het stuur om een paar van zijn leveranciers te bezoeken. We beginnen net over de grens, bij **Hombourgeois.** Müller neemt ons hiernaar toe omdat **Roy en Jocelyne Eussen** nog ouderwets appelstroop maken. Dat wil zeggen 60% peren en 40% appels, onbespoten hoogstamfruit, gestookt op takkenvuur, geperst met ouderwetse persen, die sap opleveren dat ze inkoken tot stroop, wat ze hier

sjroep noemen. De perenrassen zijn Doyenné du Commis en Legipont, de appels Jacques Labelles, goudrenetten, sterappeltjes, Eysdener klumpkes en Grontvelders. De appels gaan er in voor het zuur.

'Stroop,' zegt Roy, 'is steeds zoeter geworden. Daar is Napoleon mee begonnen. Als die met zijn troepen ergens bivakkeerde, dan moest hij brood en stroop hebben. Hij verordonneerde daarom dat er *rinse* stroop gemaakt moest worden. Rinse is een verbastering van Rijnlandse. Die stroop bestaat voor 80% uit beetwortelstroop, suikerbiet dus, want dat was goedkoper. Wij maken geen standaardproduct, want niet elke ketel is hetzelfde. Ik stook zes weken per jaar, met werkdagen van 18 tot 20 uur, omdat alles met de hand gaat en ik het vuur om de tien minuten moet controleren om te zorgen dat de vlammen niet bij de ketel komen, waardoor de stroop zou kunnen verbranden. Er gaat 650 tot 800 kilo fruit in een ketel, eerst de peer dan de appel. Het fruit bestaat voor 70% uit water. Na een uur stoken is een derde verdampt en heb ik compote. Die gaat naar de ouderwetse persbak, om het sap er uit te drukken. Anderhalf uur later is alles er wel uit. In porties breng ik het terug naar de ketel, want ik krijg het nooit allemaal in één keer aan de kook. Bij het opstoken verdampt het water en komen de pectine en de fructose vrij. Van de 450 liter sap maak ik uiteindelijk 70 kilo stroop, dat is 12%. De klokhuizen en schillen gaan naar het vee.'

Eussen is zevende generatie stroop- maker. Amper honderd jaar geleden waren er in deze regio nog 300 stroop- makers, nu nog vijf. 'Het geld verdien ik er niet echt mee. Dat komt van de verhuur van vakantiehuizen en van workshops.' **www.hombourgeois.eu**

Wij blijven in België en gaan op bezoek bij **La Canardière**, waar Müller zijn foie gras, bloedworst en magrets de canard inkoopt. **Sylvie en Pascal Cornet** zijn de jonge eigenaren van de eenden fokkerij annex winkel. Er waggelen zo'n zeventig eenden op de velden rondom. Ze komen als kiekens binnen en gaan, na een week of vier, het veld in. Na acht weken gaan ze op stal. Vier weken later zijn ze slachtrijp. De laatste twee weken worden ze bijgevoed met Zuid-Franse maïs en graan.

Sylvie: 'Aanvankelijk vond ik het maar niks, dat bijvoeren, maar mijn man heeft me laten zien dat ze niet lijden. We doen het hier allemaal met de hand, het is dus geen lopende band werk. En die beesten blijven eten tot ze er bij neervallen, dat hoef ik niet te dwingen. Om ze rustig te houden is het hier donker en draaien we ook muziek. Nee, geen Mozart, dan ga ik zelf stressen.'

In de winkel verkoopt ze hele eenden, eendenborst, allerlei foies, bloedworst, kroketten, rillettes, patés en ook heerlijke foie gras macarons. We kregen wat bloedworst en foie gras voorgezet. De lekkerste foie die ik ooit proefde. Er hoeft geen zoete gelei of cranberrysaus

bij, want hij is van zichzelf al zoet genoeg. Komt door de maïs die veel zonuren krijgt. Bij de eendenborst merk je aan de structuur dat het beest veel heeft bewogen. Müller serveert de magret en de bout, met een lekkere rode Beaume de Venice en wat eendenham.

Joachim: 'En dat vet dat ze maken, man, dat durf ik bijna te drinken.' Sylvie Cornet geeft iedere maandag en dinsdag kookcursussen. 'We zitten ver vooruit vol,' zegt ze met trotse ogen.
www.lacanardiere.be

Allez, op naar het wijndomein **St.Martinus** van **Stan en Nienke Beurskens**. Het is een indrukwekkende wijnmakerij daar in Vijlen. Beurskens is oenoloog en als wijnwetenschapper verbonden aan de universiteiten van Wageningen, Giesenheim in Duitsland en Stellenbosch in Zuid-Afrika. Zijn vader Hans is de wijngaard begonnen in 1988. Anno 2016 bestaan de drie wijnpercelen bij elkaar uit dertien hectaren. Om perikelen rond bouwvergunningen te omzeilen, heeft Beurskens zijn caves, drie verdiepingen diep (18 meter), onder de grond gebouwd. Op de begane grond

een fraai gestileerde demoruimte en de kantoren, met uitzicht op de glooiende hellingen van het Vijlense heuvelland. Ze vullen zestigduizend flessen eigen wijn af per jaar en voor opdrachtgevers die hier hun druiven brengen nog eens twintigduizend, waaronder die van de Gerardushoeve. De rode cabernet cortes en cabernet franc   hand geselecteerd - liggen opgeslagen op verdieping twee, de witte wijnen op de derde. De wijn rijpt bij St.Martinus twaalf maanden op eikenhouten vaten, de prestige zelfs vierentwintig. Die gaat na een jaar op nieuwe vaten. De oogst van 2011 is nu zowat op dronk.

'We halen ongeveer duizend liter wijn per hectare op,' legt Nienke uit. Ze is relatief nieuw hier, maar een oude rot in het vak. Samen met haar broers had ze een wijndomein in Heerhugowaard. 'We hebben hier in de zomer achttien man werken en in de winter negen. De eerste selectie doen we op de wijngaard in juli en augustus. Bij gebrek aan warmte moeten we meer knippen en ook halen we het blad van onderen weg om de warmte van de grond (kiezel en vuursteen) op te vangen. Bij de oogst maken we lange

dagen. Van negen tot vijf plukken en van zes tot twaalf met de hand selecteren. Daarom geven we de werkers op die dagen altijd goed te eten.'

Het fraaie gebouw van St.Martinus past in het milieuvriendelijke denken, met ledverlichting, aardwarmte en hergebruik van water.

www.wijnkenniscentrum.nl

Na een diepe slaap in de rust van het Gerardushotel, vertrekken we de dag daarop voor een bezoek aan **Vleeshandel Kusters**. Daar zitten ze middenin de verhuisperikelen. Naast de huidige slagerij heeft **Roy Kusters** nieuwbouw laten optrekken.

'Met demokeuken, want dat wou ik altijd al. De rest heb ik er omheen gebouwd.' Hij loopt met ons door de nog lege ruimtes. 'Daar is de krattenwasserij en daar de grote kantine met douches. Hier wordt straks alles gewogen en waar we nu staan komt een portioneringsmachine van een ton. Portioneren is eentonig werk, dat moet je niet door mensen laten doen. Liever zo'n machine dan een nieuwe auto.'

Kusters is een aparte. Hij is fanatiek triatlonner en tennist graag. Dat dus naast het zware slagerswerk en de slachterij. Als wij komen, zijn ze vijf koeien en twee kalveren van het ras Blanc Blue Belge aan het slachten. Rustige, vriendelijke dieren met een formidabele bilpartij. Ze komen van de boerderij van Kusters' vader, een paar honderd meter verderop. Senior is ook een rustige en vriendelijke man. 'Ik verdien er een paar sigaren mee, meneer.' Hij mest zijn 125 koeien in maximaal een jaar af. Ze eten hooi uit Margraten en maïs. Vóór de slacht

wegen ze 800 kilo, na het uitsnijden 500. 'Rust is essentieel,' legt zijn zoon uit. 'Als het opgefokte beesten zijn, die veel krachtvoer hebben gegeten, dan loop het vlees in de pan zo leeg, omdat

---

Als het opgefokte beesten zijn, die veel krachtvoer hebben gegeten, dan loop het vlees in de pan zo leeg

---

de celwanden van de spier al dat vocht niet meer vast kunnen houden. Kort na de slacht begint dat al te lopen.' De zeven runderen die een uur of wat later in de koeling gaan, zijn genoeg voor één week. Na drie weken afhangen zijn ze klaar voor de verkoop. Uitbenen, vliezen, portioneren en winkelverkoop, het zit allemaal bij elkaar. Müller koopt er graag zijn vlees omdat de slager ook goed is met incourante delen zoals sukade, ezelstuk, jodenhaas en het schoonmoederstuk. 'We doen alles om de hele koe kwijt te komen, daarom verkopen we ook tête de veau, kalfsnek in tomatensaus en zuurvlees.' Kusters is een trots menneke als hij zo tussen zijn mensen doorloopt: 'Voorzichtig mee die messen, want ze zijn net gesjléééépen.'

www.vleeshandelkusters.nl

Tot slot even langs bij **Frank en Monique Radder** van de biologische kruidentuinen **Puur Aroma**. Eerst ga je uit je bol van het bijzondere huis.

De hele constructie is van hout, de muren van stro, kalk en koeienpoep. Op het dak van de loods ernaast liggen zonnecollectoren, die samen met de zonnepanelen op het dak van het huis genoeg opleveren voor kachel, licht en boiler. Bij stevige wind, beweegt het huis mee. De architecte heeft aan de buitenkant een soort skelet gebouwd. Met de ochtendzon er op, geeft dat een mooi lijnenspel op de geelwitte muren. Maar daar komen we niet voor, we komen voor de kruiden.

Frank kennen we van de wildpluk-wandelingen van Rungis in de duinen bij Katwijk en bij Oostvoorne. Hij kweekt een tachtig soorten potkruiden en voor de horeca eetbare bloemen. 'We oogsten ook best bijzondere dingen zoals rode venkel, saffraan, aardbeienmunt en oreganotijm. We geven veel workshops in de grote keuken en werken nauw samen met Marc Creusen van Puur by Marc. Bij elkaar produceren we zo'n 1 miljoen potten. Alle kruiden zijn op biologische manier geteeld, met Europees Bio-keurmerk en EKO. Biologisch betekent voor ons geen kunstmest, geen GMO-plantjes en geen chemische bestrijdingsmiddelen. Onze gewassen groeien langzamer en ontwikkelen daardoor een pure smaak. Ik weet ook zeker dat ze meer gezonde stoffen bevatten.' Als we over zijn kwekerij lopen, ontdekken we ook een experiment, een high tech klimaatkamer in wording, met geregelde water en voeding en door zwakstroom verwarmde aarde. Is dat nog biologisch? 'Gewoon kijken of dat kan. Normaal gesproken verwarmen we de kassen niet, maar soms moet je ingrijpen omdat de oogst anders naar de knoppen gaat. Maar we gebruiken geen ledlampen en zo.'

www.puur-aroma.com
www.restaurant-gerardushoeve.nl

tekst en foto **Renate van der Bas**

Dan knippen we gewoon haar **vleugeltjes door**

Elders in dit blad gaat het over de trans-humance van koeien in de Pyreneeën. Maar ook veel nietiger wezentjes worden soms door mensen verplaatst naar daar waar het beste eten is. Namelijk bijen. Ik stond erbij, keek ernaar en hoorde het zoemen.

De Franse Corbières is een ruige, lege streek tussen Narbonne, Perpignan en Carcasonne, met weinig mensen en heel veel bomen. Wie er doorheen rijdt, kan het beste zelf wat proviand meenemen en zorgen voor een gevulde tank. Want hier sta je er alleen voor.

Midden in deze woeste wereld woont - het zou ook eens niet - een Nederlander. Ze heet Mireille van de Ven, is een stoere griet van ergens in de veertig en leeft een leven zoals maar weinigen dat kennen.

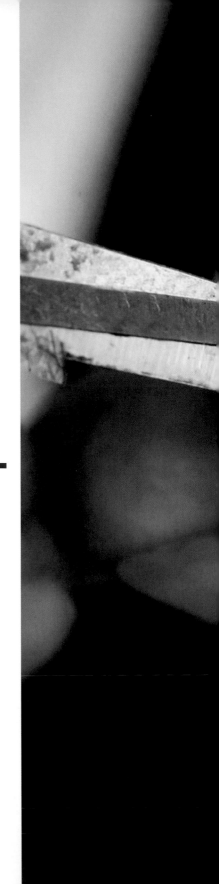

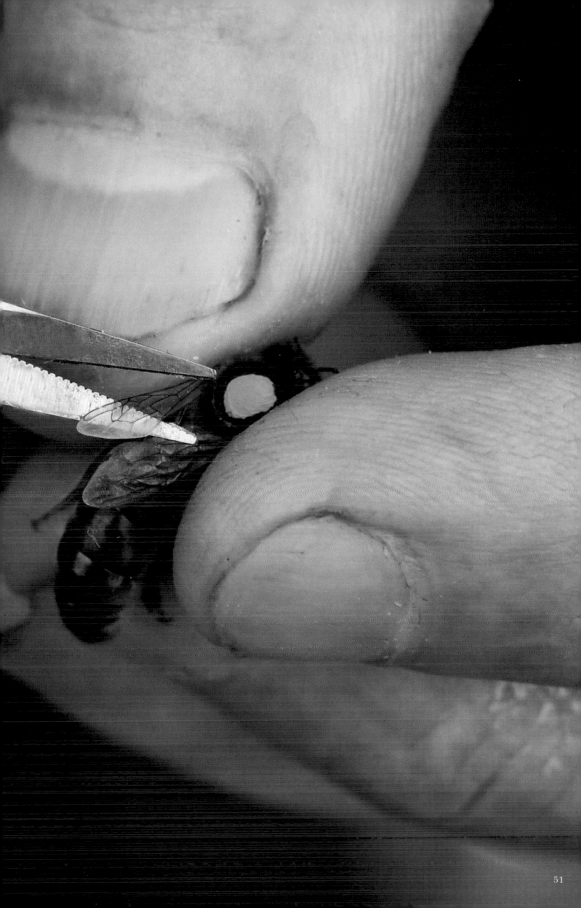

'Ik ben ooit geboren in Spijkenisse, maar Nederland was niets voor mij. Ik wilde altijd naar buiten, op avontuur uit. Ik bedacht als kind dat ik in het park ging wonen en zwierf daar dan de hele dag rond. Uiteindelijk krijg je natuurlijk honger, dus 's avonds ging ik maar weer naar huis. Na mijn schooltijd probeerde ik allerlei banen en opleidingen, maar op een gegeven moment heb ik de fiets gepakt en ben weggegaan.' Haar omzwervingen brachten haar in Zuid-Frankrijk, waar ze de liefde van haar leven ontmoette: de Waalse bijenhouder Philippe Wierinckx. Met deze *apiculteur* woont ze nu al veertien jaar midden in de natuur, grotendeels onafhankelijk. Ze doen bijvoorbeeld niet aan elektriciteit. 'Geld gebruiken we alleen voor eten, we willen zo min mogelijk vaste lasten hebben.'

Soms spuiten die boeren hun terreinen om de dag. Nou, dan weet je zeker dat je je bijen de dood in jaagt

Ze zitten al vast genoeg, zou je kunnen zeggen. Want bijen houden vraagt onvoorstelbaar veel tijd en energie. 'Philippe heeft geluk met me,' zegt Mireille, 'want ik ben een sterke vrouw: ik kan een volle bijenkorf in de laadbak van onze truck tillen.' Die dingen wegen een kilo of zestig en het stel heeft een paar honderd van deze zware *ruches*. Deels voor het kweken van bijen, deels voor de productie van honing. 'Met die productiekorven zijn we steeds op pad. In het begin van het seizoen zoeken we velden met rozemarijn, daarna is er de bloeiende *garrigue*, de lindebloesem, de acaciabossen, de kastanjebomen en aan het eind van het seizoen gaan ze naar de zonnebloemen. We hebben geregeld veertig volle korven in de laadbak staan en dan heb je het over zo'n 2,5 ton gewicht.' Soms vragen landbouwers of ze de korven een tijdje bij hun velden met koolzaad of meloenen willen zetten, om de bevruchting te bevorderen. Maar dan doen ze dus niet. Mireille: 'Ze bieden zomaar vijftig euro per geplaatste korf, maar jemig, soms spuiten die boeren hun terreinen om de dag. Nou, dan weet je zeker dat je je bijen de dood in jaagt.'

We zitten nog aan de koffie in hun deels gerenoveerde huis, verstopt tussen een paar heuvels. De imkers wonen hier samen met enige tientallen kippen en eenden (een paar minder dan gisteren, dankzij het bezoek van een hongerige vos) en een slordige twee miljoen bijen. Het is einde middag en zo meteen gaat het beginnen: het herinrichten en verplaatsen van vijftig bijenkorven. Het moet per se vandaag, ook al zit er wat onweer in de lucht. De post bracht namelijk eerder op de dag een grote kartonnen enveloppe met vijftig gele doosjes erin. In ieder doosje zit een koningin. Weliswaar in het gezelschap van een paar voedsterbijen, maar Hare Hoogheden - die zo'n 26 euro per stuk hebben gekost - kunnen beter zo snel mogelijk in een korf terecht komen.

Ik ben blij dat ik er bij kan zijn. Een week eerder zou ik 's avonds laat meegaan bij het verplaatsen van bijenkorven in de

buurt van Carcassonne, maar toen was er echt veel onweer en vond Mireille het niet verantwoord. 'De bijen zijn natuurlijk toch al onrustig als we met ze bezig zijn, maar onweer maakt ze extra prikkelbaar, en hongerig. Plus jij hebt geen ervaring met bijen om je heen. Is het licht, dan blijven ze vliegen en kun je ze goed zien, maar is het donker, dan gaan ze kruipen. En al heb je een beschermend pak aan, je kunt nooit uitsluiten dat er eentje aan de binnenkant zit. Laatst had ik er opeens een in mijn oor. Nou, dat wil je niet meemaken.'

Om de bijen zo kalm mogelijk te houden, worden ze bedwelmd met koude rook uit een simpel apparaat, waarin wat korrels bix (paardenvoer) liggen te smeulen

----

Ze geeft me een imkerpak om aan te trekken. Plus een panty voor over mijn haar. 'Als je helemaal ingepakt bent kan je niet meer even je haren voor je ogen wegvegen.' Met ducttape worden voor de zekerheid broekspijpen en mouwen afgeplakt.
Eerst moeten vijftig lege *ruches* uit de truck worden geladen en neergezet naast een paar veel grotere, volle bijenkorven. In reeksen van tien gaan we de lege korven vullen met honingraten en broedramen die Philippe uit de grote korven haalt. Zodra die korven worden geopend, begint de bijengemeenschap onrustig te zoemen. Om de bijen zo kalm mogelijk te houden, bedwelmt hij ze met koude rook uit een simpel apparaat, waarin wat korrels bix (paardenvoer) liggen te smeulen, afgedekt met een pluk vers gras.

De te verplaatsen frames met honing en eitjes zijn bedekt met een laag bijen, die die we moeten besproeien met wat water. Een taak voor mij. 'Dat besproeien is om de bijen af te leiden. Ze gaan zichzelf en elkaar drooglikken en hebben dan minder scherp in de gaten dat ze worden verplaatst. En blijven op hun plek.' Hoe dan ook moeten we de nieuw gevulde ruches steeds zo snel mogelijk afdekken. We werken gedrieën gestaag door. Concentratie is essentieel. Steeds meer bijen zoemen om ons heen. Een keer word ik ernstig afgeleid omdat het een bij toch lukt om aan de binnenkant van mijn pak te komen en me in mijn hals steekt. 'Ze weten gewoon dat wij kwetsbaar zijn via ons blote huid,' zegt Mireille. Haar Philippe doet zijn werk met blote handen en loopt tientallen steken op, maar het deert hem niet echt. 'Met handschoenen aan kan ik dit werk niet doen,' zegt hij schouderophalend.

De laatste handeling is het plaatsen van de gele doosjes met de koninginnen, eentje in iedere gevulde korf. Dan kunnen de ruches definitief dicht worden gemaakt. We zijn bijna vier uur verder en het begint donker te worden. De bijen kalmeren en wij nemen een glas wijn en een broodje paté, beide gemaakt door vrienden uit de buurt. Maar voor Philippe en Mireille is het werk nog niet klaar. Ze moeten de nieuwe gevulde korven diezelfde avond nog wegrijden, naar een plek met veel bloesem. 'Op minstens drie kilometer van huis, anders vliegen de bijen morgenochtend meteen terug naar hun oude korven en is al het werk voor niets geweest,' legt Philippe uit.

Ik mag naar huis, met een hoofd vol gegons. En zie onderweg in mijn slingerende koplampen een hertje, een konijn, een wit kalf, een uil en een hond met drie poten.

De volgende dag bel ik, om te horen of al duidelijk is dat de koninginnen zijn geaccepteerd. 'Dat weten we pas over een week,' denkt Mireille. 'Als de koningin eitjes gaat leggen, dan is het good gegaan. We laten ze nu met rust, brengen alleen zo nu en dan wat glucosewater, zodat de bijen energie hebben.'

Ach, en Mireille heeft me nog zo veel meer details verteld over het imkerschap. Bijvoorbeeld dat wanneer er een nieuwe koningin wordt geboren in een korf, de oude koningin besluit te vertrekken. 'En dat moet je zien te voorkomen, want dan neemt ze zomaar driekwart van de werkbijen mee. Dat heet uitzwermen. Hoe we dit voorkomen? Door de vleugels van *la vieille reine* door te knippen.'

En dat, als de larven die de koninginnegelei produceren na een paar dagen zijn *opgedroogd*, de imkers die larven net zo gemakkelijk even op de grill gooien of in een omelet verwerken. Prima proteïnen.

En dat als de koningin bevrucht wil raken, ze in de natuur op zoek gaat naar hitsige darren. Soms neemt ze er wel twintig achter elkaar. Haar *spermathèque* moet gevuld. De sterkste dar *pakt* haar als eerste, maar na de daad blijft zijn geslachtsorgaan in haar zitten en sterft hij. Minnaar nummer twee moet die piemel eerst verwijderen, voordat hij kan. 'Hij weet dus dat hij er dood aan gaat, maar toch wil hij de koningin nemen,' droomt Philippe weg. 'Als dat geen echte liefde is…'

PS 48 van de 50 koninginnen zijn geaccepteerd en leggen *as we speak* eitjes voor de zoete toekomst.

Wie de honing wil kopen, moet even 0033-468696749 bellen, want de Bergerie du Frère (bij het gehucht Clermont sur Lauquet) doet ook niet aan internet.

Het eetbare schilderij van Angelique Schmeinck

Spectaculair is deze totaalcuisine van meester chef Angelique Schmeinck. Het eetbare schilderij is een interactief en inspirerend verhaal over smaken, texturen, geuren en kleuren. Haar doek bestaat uit een aantal losse panelen die zorgvuldig tot één gesmeed zijn. Na afloop kan iedereen een eigen paneel meenemen om op te eten. Ze heeft het lekkernij-schilderij al gemaakt voor wel vijfhonderd toeschouwers. 'Het hele idee is ontstaan toen ik merkte dat je van alles over smaken - en het samengaan daarvan - kunt vertellen, maar dat het niet echt doorkomt. Nu kunnen de mensen mijn verhaal over smaakvrienden horen, zien en proeven. De boodschap komt veel beter over. Je wordt je bewuster van de cultuur of het thema. Ik smeer bijvoorbeeld ingedikte tomatenmousseline door de wortelpulp zodat je kunt zien welk effect ze op elkaar hebben. Als je ziet wat dat samengaan doet, heb je er ook meer respect voor. Ik wil gewoon meer diepgang in een wereld die bol staat van de vluchtigheid.'
www.smaakvrienden.nl

tekst **Nicolas Poluhoff** | vertaling **Will Jansen**

Beef
Wellington

We kennen dat gerecht uit het bonte verleden. Uit de tijd dat toprestaurants zonder gêne doperwten uit blik serveerden. Uit de tijd van Tong Picasso en Russisch ei. Beef Wellington: ossenhaas besmeerd met een tapenade van shiitake, gerold in bladerdeeg. Een zwaar gerecht. De Amerikaanse schrijver Nicolas Poluhoff heeft er ambivalente herinneringen aan.

Mijn grootouders zitten naast me, ieder aan een kant. Zowat elke maand nemen ze me mee uit eten. Altijd op een zaterdag, bij het schemerige Casa Dante, altijd dezelfde tafel in dezelfde hoek. Ze halen me op als grootmoeder klaar is bij de schoonheidssalon. Haar haar is zilvergrijs geverfd en opgeduwd in een soort suikerspin. Ze vragen in welke klas ik zit.

'Zo'n grote jongen al,' zegt zij.

'Je zult al gauw voor me komen werken,' zegt hij.

Armando komt er aan met de menukaarten. Armando, altijd onze ober, ziet er uit als een ongeschoren, slecht slapende Humphrey Bogart. Hij noemt mijn oma La Bella Signora en weet dat ze constant nieuwe Johnny Walkers wil.

'Ik denk dat hij je dronken probeert te krijgen,' zegt opa, en alle drie doen we alsof hij lollig is. Mijn opa is kaal en lijkt op een hagedis. Er steken plukjes haar uit zijn neus en oren.

Armando noemt de specialiteiten op, mijn grootouders knikken en drinken. Ik kauw op een broodstengel en kijk naar ze door het prisma van mijn Colaflesje.

'Toe maar, kies maar iets lekkers uit. We willen dat je iets neemt dat je echt lekker vindt', zegt mijn grootmoeder.

Zij neemt altijd vis. De specialiteiten van Armando klinken verleidelijk, maar vis is het makkelijkst voor haar nieuwe tanden. Haar tanden zijn enorm en duur, de Cadillac onder de nieuwe tanden. Ik heb ook een nieuwe tand, een kleine witte richel, waar eerst een roze gat zat. Je ziet er niks van als ik niet glimlach.

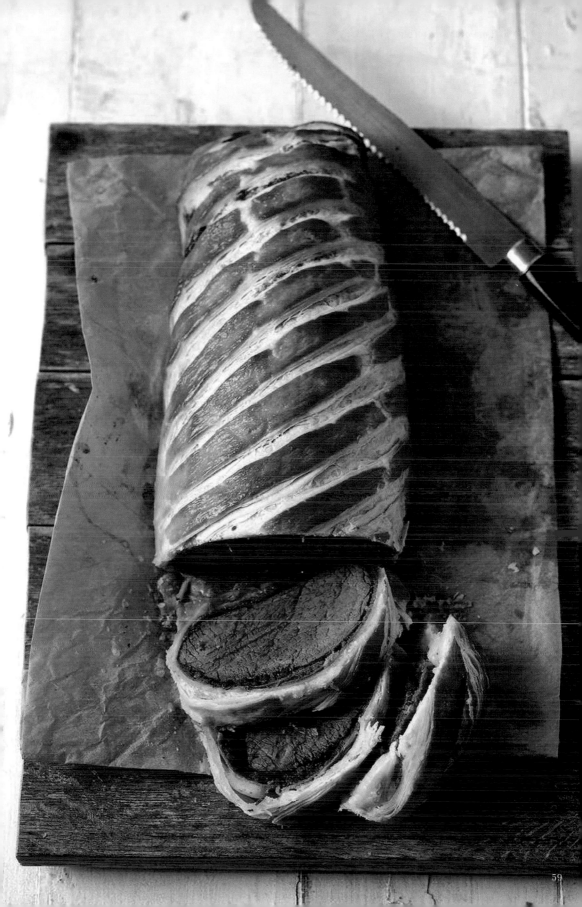

Mijn opa neemt lever.

Armando kijkt naar mij, opa ook. Zijn knaagdierenogen besnuffelen mijn gezicht. De menukaart is een grote, geplastificeerde plank, waar ik me aardig achter kan verschuilen.

'Ik neem Beef Wellington.'

Dat heb ik al eens eerder besteld. Ik weet dat mijn opa dan kwaad wordt.

'Heb je eigenlijk wel Beef Wellington vanavond? Weet je zeker dat hij niet uitverkocht is? Is Duitse biefstuk niet net zo lekker?', vraagt hij Armando.

'Hou daar mee op,' zegt oma.

Andere tafels kijken naar ons.

'Hij kost twintig dollar,' klaagt opa.

'Nou en? Dat kunnen we toch wel lijden?'

'Waarom moet hij godverdomme Beef Wellington?'

'Omdat hij het wil.'

'Hij weet het verschil niet tussen Beef Wellington en Duke Ellington.'

'Luister maar niet naar hem,' zegt oma tegen Armando. Ze vindt het belangrijk dat ik mijn Beef Wellington krijg. Mijn vader, haar zoon, kijkt van boven op ons neer, hij wil precies weten hoe ze me behandelt. 'Als jij Beef Wellington wilt, dan krijg jij Beef Wellington. We zijn blij dat we je dat kunnen geven.'

Beef Wellington is eigenlijk een stuk vlees dat er uit ziet als een cake, zwanger van een biefstuk. Het wordt gebracht door een hele stoet bedienden die het behandelen als een kostbaar stuk. Armando haalt hem plechtig van het dienblad en serveert hem met trots. De mensen om ons heen maken

goedkeurende geluiden en kijken met bewondering toe. Alsof Dean Martin net is komen binnen wandelen, zo rekken ze hun nekken. Hij ziet er perfect uit op mijn glimmende bord en lijkt op een slapend dier in een schelp. Mijn opa kijkt aandachtig toe als ik mijn eerste hap neem.

'En, is het lekker?' vraagt oma.

'Smaakt het naar een miljoen dollar?' sneert mijn opa.

Zijn melige stuk lever kan niet op tegen mijn majestueuze Beef Wellington. De lever lijkt weggesneden uit de zijkant van een stervend dier. Hij ruikt naar slechte adem, ik kan het hier ruiken.

'Goed,' is al wat ik tegen ze zeg.

Maar ja, ik heb de maag en de smaakpapillen van een jongen. Beef Wellington is te veel, smaakt te sterk. Eigenlijk wilde ik liever spaghetti. Na een paar hapjes begint mijn maag zeer te doen. De stukjes vlees in mijn mond ruiken naar hondenvoer. Ik eet wat van de hoekjes en prik stukjes korst op mijn vork.

'Ik heb je toch gezegd dat hij het niet op zou eten?'

'Kun je niet nog een klein beetje ervan eten?' bedelt mijn oma met stukjes vis tussen haar tanden. 'Voor omie?'

'Ik wil niet meer,' zeg ik. 'Ik zit vol.'

'Wat een verspilling,' gilt mijn opa.

'Wat maakt dat nou uit? Hij wou het toch graag!'

'De volgende keer neemt hij maar Duitse biefstuk.'

'Hou je nou je mond?'

Mijn oma's ogen worden waterig. Ze staart in haar whisky als een waarzegster in haar glazen bol. Mijn grootvader zit te kniezen met zijn kin op zijn borst. Hij likt zijn lippen en vindt nog wat lever. De ober komt eindelijk mijn bord weghalen. Op de terugweg naar de keuken doet de Beef Wellington me denken aan een statige oude heer die betere dagen heeft gekend en die ik erg teleurgesteld heb. Casa Dante heeft op zaterdagavond een pianospeler die net begint met *Close to you* van de Carpenters.

In de auto, op weg naar huis, kan ik vanaf de achterbank hun droevige gezichten zien in de zijspiegels. Op de radio zijn mensen met elkaar aan het praten. Mijn maag is onrustig en rommelt. De volgende keer dat ze me meenemen, ook al maakt het me ziek, ga ik weer Beef Wellington bestellen.

tekst en foto **Fredie Beckmans**

Mijn naam schalde over de gracht. Ik keek om. Het was Arlette. Jaren niet gezien. 'Fredie, ik heb op facebook gezien dat iemand je zoekt' en ze gaf me een telefoonnummer.

Sterk Water

Ik heb gebeld. Ene Monique nam op en wie schetst mijn verbazing: ze was van de winkel Worscht in de Amsterdamse Czaar Peterstraat. Of ik langs wilde komen om iets te bespreken. Ik ben tenslotte de voorzitter van De Worstclub, een vereniging ter verheerlijking van de esthetiek van het lelijke en bovenal de worst. Ik kon er over een uur zijn. Altijd nieuwsgierig gebleven naar onverwachte wendingen in het leven. Ik herinnerde me gelezen te hebben dat er een verkiezing was geweest welke de leukste winkelstraat van Nederland 2016 zou zijn. Uitkomst, de Czaar Peterstraat. De straat was mij welbekend, jarenlang de vaste route naar mijn atelier in het oostelijk havengebied. Een wat triestige straat met veel achterstallig onderhoud. Een bakker, een schaatsenslijper en een coffeeshop, dan had je het wel gehad.

Ik fietste met heel andere ogen de straat in. Aan de linker kant een Grand café en een Turkse buurtsuper. Voor de rest niet veel anders, behalve dan dat alles was gerenoveerd. Maar gezellig? Mijn vrouw van Engels-Indiase afkomst vindt het iedere keer weer leuk om een van de meest Hollandse Nederlandse woorden te horen. Gezellig. Ik zag de horden dagjesmensen uit Groningen en Limburg toestromen en keek met hun ogen naar de straat. Een bittere teleurstelling. Helemaal niks,

Midden in de straat keert zich dan alles toch nog ten goede. Zomaar allemaal winkeltjes. Natuurlijk de kleine modezaken, maar ook een theewinkel, eetgelegenheden, een mooie bloemenwinkel, een filiaal van KEF, Amsterdams beroemdste kaaswinkel

met daarnaast een pindakaaswinkel. En, ik was er bijna aan voorbij gefietst: Worscht. De zaak bleek al meer dan een jaar open te zijn. Ik schaamde mij een beetje, want ben al een tijd lang met mijn *worstclub* over de hele wereld onderweg en je thuishaven raakt uit zicht. Maar goed ik was terug, zette mijn fiets op slot en betrad de winkel. Dat was wel thuiskomen zeg. De hele zaak hangt vol met kunst en boeken over worst. Aan de muur een enorme poster met Sophia Loren die een worst vasthoudt in de film Mortadella.

Een klant voor me vraagt: 'Wat is de lekkerste worst die jullie verkopen?' De verkoopster vraagt wat ze zelf lekker vindt. Wat moet je op zo'n vraag ook antwoorden? Als de klant nou gevraagd had, wat is de duurste worst en welke de langste? Dat kun je in absolute getallen uitdrukken. Maar de lekkerste? Dat is de waan van de dag. De meeste mensen hebben nu de truffelworst wel

vaak genoeg gegeten en dan zijn ineens worsten met venkel het lekkerste. Nadat de klant drie verschillende worsten heeft gekocht, waarvan een met venkel, ben ik aan de beurt en noem mijn naam. De verkoopster blijkt de Monique te zijn die me zoekt.

Eén iemand wist dat ik naar Oostenrijk was vertrokken, een ander hield het op Zuid-Afrika en Monique vroeg of ik misschien mijn onvindbaarheid cultiveerde.

'Jaha, ik wil net zo onvindbaar zijn als de lekkerste worst. Wat blijft er anders over in het leven als alles maar voor het oprapen ligt'.

Ben er achter gekomen dat ik steeds vaker het zoeken leuker vind dan het vinden. Ik heb dat vooral bij het zoeken naar paddenstoelen, maar lekkere worsten zoeken is ook een kunst. Hier hingen en lagen ze dan. Hollandse en buitenlandse worsten met een sterretje. Door de hele stad heb ik slagers waar ik, voor een speciale worst, ver wil fietsen, maar hier zijn bijna alle worsten, om met Sophia Loren te spreken: Con Amore. Mijn oog valt op de Czaar Peter worst. De buitenkant komt qua verhouding wel overeen, want Czaar Peter was 2.04 meter. Lang en slank. Deze worst ook. Ik ben kunstschilder en laat mijn meegebrachte penseeltekeningen van worsten zien. Monique wil er graag een van hebben en vraagt wat ze kosten. Ik roep: 'Een handvol worsten. Eerst om ze na te schilderen en daarna op te eten'. Dat was een mooie deal.

Op een plank zie ik flesjes Czaar Peter bier staan. Russisch Stout. Dit was een Stout dat vroeger over zee van Engeland naar Rusland werd vervoerd. Om te voorkomen dat het in koude jaargetijden zou bevriezen, kreeg het een hoger alcoholpercentage mee dan normaal. Ik lees op het etiket ook nog dat er chocolade door zit. Het komt tenslotte uit Zaandam. Ik houd niet zo van dat soort toevoegingen, maar heb het bier geproefd en dankzij de toevoeging heeft het een diepe donkere smaak, richting pure bittere chocolade met toch nog de klassieke hoppige bitter.

Czaar Peter was niet alleen in Amsterdam en Zaandam om zich in de Hollandse Scheepsbouwkunst te verdiepen, hij zocht ook van alles voor zijn Rariteiten Kabinet. Een kunsthandelaar attendeerde hem op Frederik Ruysch die, vanwege onderzoek naar het menselijk lichaam, baby's, ledematen en heel veel geslachtsdelen op sterk water (zijn geheim gebleven *aqua balsamica*) in grote potten en flessen stopte. Czaar Peter was verrukt en kocht 6000 potten en flessen voor zijn Wonderkamer. Een schip vervoerde een grote hoeveelheid Russisch Stout èn de glazen potten met afgehakte handen en voeten. De matrozen werden erg dorstig van de vaatjes bier, maar wisten ook wel dat er gedonder van kwam als ze die tijdens de tocht naar Rusland zouden leeg drinken. Een van de matrozen stelde daarop voor om de glazen potten aan te breken. Een kleine glazen pot, met enkel een grote duim er in, als eerste. Ze vulden de pot aan met zeewater. Geen haan die er na kraaide. Tijdens de reis heeft de bemanning de halve collectie Ruysch leeggedronken. Het is dan ook niet verwonderlijk dat na een half jaar een gedeelte van de collectie begon te

verschimmelen. Zulke flessen kun je tegenwoordig nog steeds wel krijgen, maar dan zitten er toch vooral slangen en schorpioenen in het Sterke Water.

Czaar Peterworst in de winkel aangesneden en geproefd. Deed me direct aan Poolse gerookte worsten denken. Heel *smaki*, Pools voor lekker. Nu wilde ik weleens weten waarom ik werd gezocht. De bedoeling was dat er een open-atelier-route zou worden georganiseerd, en dan een keer anders dan anders. Iedere winkel in de straat zou een kunstenaar adopteren. Als voorzitter van de worstclub begreep ik het al en kwam met een voorstel. Iedereen die een worst zou kopen, kon die door mij laten naschilderen. Worst en schilderijtje mee naar huis. De worst opeten en tegelijkertijd naar het schilderijtje kijken geeft een ongekende smaakervaring. Het werd een geslaagd weekend, ware het niet dat de secretaris van de Nederlandse Aquarellisten Vereniging me erg op de proef stelde. Hij had een worst gekocht en vroeg of ik die, nog in vacuüm verpakking, wilde naschilderen. Wat een geluk dat ik ook wat grijze verf bij me had.

Wie in worst is geïnteresseerd maar ook in worstkunst en worstboeken mag hier niet aan voorbij lopen. Heb ooit in Duitsland een worstenmuseum bezocht, met lang geleden gestorven worstkunst, maar Worscht is een hommage aan de worst van vandaag. Met een sterretje.
www.worscht.nl

De hemel heeft overal

de

tekst **Marja Slinkert** | foto **Massimo Lama**

Iran is meer dan veertig keer zo groot als Nederland. Een zo enorm land heeft natuurlijk nooit één klimaat of één keuken. Toch zijn er wel een paar gemene delers. Minoo, geboren en getogen in Iran, geeft ons een kijkje in haar eigen Iraanse keuken.

zelfde kleur

Ze kwam tweeëntwintig jaar geleden naar Nederland, omdat de politieke grond onder haar voeten te heet was. Ze vond hier werk en de liefde. Haar culinaire herinneringen lijken aanraakbaar: 'Wakker worden van de geur van versgebakken brood. 's Morgens vroeg al ging mijn moeder naar de bakker en dan ontbeten we met heerlijke, warme broden. *Lavash*, wit en zacht als een wrap of *taftoon*, een rond, plat brood. De bakker plakt het taftoondeeg aan de zijkanten van een ronde hete oven en als het gaar is laat het vanzelf los. Mijn favoriet was *sangak*, een dun, plat, bruin, knapperig brood. Op de ontbijttafel stonden boter, honing, zelfgemaakte jams en schapenkaas. In het weekend aten we er *halim* bij, een stevige soep van kalfsnek en granen.

Gas was er nog niet in ons dorp, daarom hadden wij twee houtovens in de keuken. De keuken lag in de tuin zodat niet het huis naar eten ging ruiken, want die ovens maakten overuren! De halim stond urenlang te sudderen. Iraanse vrouwen hebben het druk. Ze maken 's avonds niet alleen het eten voor de avond klaar, maar ook voor de lunch van de volgende dag. Alle gerechten gaan lang en op laag vuur, om de smaken tot hun recht te laten komen. Er bestaat geen korte bereiding van halim.'

In het noorden en westen van Iran is er een landklimaat met lange, koude winters en veel sneeuw. Het zuiden is subtropisch. Minoo groeide op het in koele westen. 'Onze zomers waren niet zo warm en lang als die in het zuiden.

Daarom oogstten we in de zomer wat we konden en legden een voorraad aan voor de lange winter. We plukten van wat in de tuin groeide en gingen met mijn moeder naar de bazaar. Fantastisch was dat, al dat heerlijke fruit, en zo belachelijk goedkoop. Dan kwamen we thuis met zakken vol aubergines, watermeloenen, granaatappels en citroenen.

In de zomer was de huishouding vooral gericht op het aanleggen van voorraden. Niet alleen mijn moeder en oma, ook de vrouwen in de omgeving maakten hun eigen tomatenpuree, jams en citroensap voor het hele jaar. We bewaarden dat in gesteriliseerde potten, met een klein laagje olie bovenop, in de kelder. Voor ons was die kelder een snoepwinkel. Het inmaken betekende veel werk, maar alle buren hielpen elkaar. 'Deze week wil ik limoensap persen,' zei dan een van de buurvrouwen, 'komen jullie helpen?' Zo trokken we met zijn allen naar de buurvrouw en als dat klaar was, was de week erop een ander aan de beurt. Altijd hadden we te weinig flessen en potten om al dat sap in te bewaren en dan moesten de kinderen erop uit om flessen te verzamelen.'

Overal groeiden fruit- en notenbomen: appel, kers, granaatappel, walnoot en amandel. 'Ik vond de kakiboom heel bijzonder. Die is pas eind oktober rijp. Hij is heel herkenbaar in het herfstlandschap, grote oranje vruchten tussen het frisgroene gebladerte.' Toen het gezin naar Teheran verhuisd was, reisden ze in de warme zomervakanties naar oma, die in de koelere bergen woonde. Dat was een reis van acht uur. 'We werden zo gastvrij ontvangen. Alle mensen in haar dorp wisten: de kleinkinderen komen weer! We hielpen oma met het winterklaar maken van groente en fruit. In haar tuin had ze een *shatoot*, een boom vol grote, zuurzoete bramen. Voor mijn zusje en mij was bramen plukken het hoogtepunt van onze vakantie. Samen in de boom klimmen, emmers vol en tussendoor snoepen van de heerlijke zuurzoete vruchten. Een ander zomersnoepje was de kriek. Mijn moeder deed trosjes van deze zurige kersjes in een bak met ijswater. We aten het met een beetje zout, want in de warmte is alles dat verkoelend en zout is, heerlijk.'

Iraanse maaltijden bestaan dus uit verse of ingemaakte groenten en fruit, dat ze met vlees - schaap, lam of rund – en rijst eten. De stoofschotels staan urenlang op het vuur, kruiden en specerijen geven er hun specifieke smaak aan. Fenegriek bijvoorbeeld, of een bieslookvariant met scherpe smaak, zachte rozemarijn, munt, koriander, koenjit en komijn en veel saffraan. Iedereen eet tussen de middag en 's avonds warm. Bedrijven hebben keukens waar mensen in de lunchpauze hun meegenomen maaltijd kunnen opwarmen.

Maar wat er ook gegeten wordt, het is vooral mèt anderen. Familie, vrienden en buren. Rond etenstijd bel je elkaar voor een gezamenlijke maaltijd. Zonder agenda, ook doordeweeks, gewoon spontaan. En er is altijd genoeg voor iedereen. Minoo vindt het dan ook saai dat we hier niet zo vaak bij elkaar eten en dat het niet vanzelfsprekend is. 'Ik mis vooral de gezelligheid. Eten in Iran is een sociaal gebeuren, iedereen wil bij elkaar

zijn. Iemand zet muziek op en er wordt gedanst. Politiek is vaak een onderwerp en moppentappen is ook heel populair. Je verveelt je nooit, want er zijn altijd mensen om je heen.'

Ze heeft hier een winkel gevonden die Iraanse producten verkoopt, dus haar favoriete granaatappelsaus of gedroogde limoenen hoeft ze niet te missen. Haar man en zij koken afwisselend. 'Ik kook meestal Iraans zoals het bekende *Chelo Kabab*, dun gesneden rund- of lamsvlees, geroosterd aan platte, lange ijzeren pennen. We serveren het met rijst en saffraan. Het is zo populair dat er dankzij een inventieve pizzabakker nu ook een Pizza Chelo Kabab bestaat. Ook *Ghormeh sabzi* maak ik vaak. Een stoofpot van vlees met verse kruiden en gedroogde limoen. Erg lekker vind ik ook *Fesenjan*, een traditionele stoofpot uit het noorden van Iran, met walnoot, gevogelte en granaatappel. Er moet eigenlijk eend en fazant in, maar ik doe het met kip of kalkoen. Eerst geraspte ui en walnoot smoren en al roerend wachten tot de walnoten hun olie vrijgeven. Dat kan uren duren. Daarna gaat er gebraden kip bij, die ik goed gaar laat worden. Op het laatst voeg ik granaatappelpuree toe, voor een frisse zoetzure smaak.'

Elke streek of provincie geeft zijn eigen draai aan traditionele gerechten. In het noorden is alles wat zuurder door het gebruik van granaatappelpuree, terwijl de mensen in Teheran suiker door gerechten roeren. In het algemeen geldt dat ze in het zuiden pittiger eten. Maar de granaatappel kent iedereen: 'We noemen het ook wel de vrucht van de liefde. Of de hemelse vrucht. Iedereen weet dat wie bij het pellen geen pitten laat vallen, meteen in de hemel komt. Zelf vind ik die zurige pitjes heerlijk. Ik zou een flesje granaatappelsaus zo op kunnen lepelen.' Een zoete Iraanse lekkernij is bijvoorbeeld *shole zard,* zoete rijstpudding. Na de avondmaaltijd is er geen dessert, maar thee met, noten of noga. En natuurlijk dadels, vaak gevuld met pistache of walnoot. Ook wordt er flink geknabbeld op de zaden en pitten van zonnebloem en pompoen. 'Bij de tv is dat onze popcorn.'

Minoo's *all time favorite* is *samano.* 'Het is nogal een arbeidsintensief gerecht. We zetten tarwekorrels een aantal dagen in water. Zodra ze gaan spruiten gaan we het malen en zeven. Het ingekookte vocht smaakt heel zoet, ook al voeg je geen suiker toe. Als ik overlijd mogen ze van mij samano uitdelen. Dat is een gewoonte bij ons: als iemand is overleden, eet iedereen het lievelings- gerecht van de overledene. Nog zo'n gewoonte is *nazri*. Als je een wens hebt gedaan die is uitgekomen, is je tegenprestatie een belofte die je moet nakomen. Bijvoorbeeld als ik slaag voor mijn examens, trakteer ik mijn leven lang als ik jarig ben op samano. In feite maak je met je nazri een dealtje met God.'

Minoo schenkt nog wat granaatappel- saus op een lepeltje en snoept het op. Een Iraans gezegde luidt: De hemel heeft overal dezelfde kleur. Zij heeft Nederland omarmd, maar telkens wanneer ze de smaak van de granaat- appel proeft, is ze weer even in Iran.

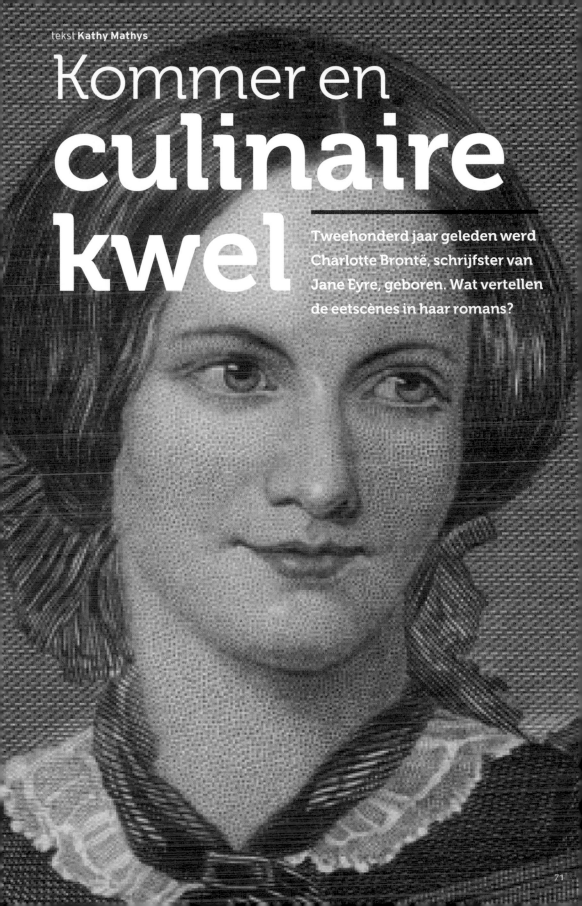

tekst **Kathy Mathys**

Kommer en culinaire kwel

Tweehonderd jaar geleden werd Charlotte Brontë, schrijfster van Jane Eyre, geboren. Wat vertellen de eetscènes in haar romans?

Wie denkt aan tafelen in de Angel-saksische negentiende-eeuwse literatuur komt al snel uit bij Charles Dickens. Die liet zijn personages gans eten tot het vet van hun kin droop. Wezen en straatboefjes moesten het met minder stellen.

In het victoriaanse Engeland werden vrouwen geassocieerd met eten en Dickens beschreef zijn vrouwelijke personages geregeld met adjectieven die

----

Het is nauwelijks vreemd dat sommige vrouwelijke auteurs uit de negentiende eeuw een minder zoetsappig beeld ophingen van het keukengebeuren dan Dickens

----

uit de culinaire sfeer kwamen. Voor hem was het makkelijk om alles wat met eten en koken te maken had te romantiseren: de schrijver van *Oliver Twist* hoefde geen vinger uit te steken om een bord vol lekkers voorgeschoteld te krijgen. Daar zorgde zijn personeel wel voor.

In de BBC-reeks *The Victorian Kitchen* wordt beschreven hoe het personeel van een landhuis te werk ging. De *voice-over* heeft het over 'het eindeloze malen, hakken, snijden'. Er waren geen keukenrobots en heteluchtovens, alles duurde lang. De makers laten zien hoe keukenmeiden er bijna een uur over

deden om soep te zeven, een proces waarbij ze gebruik maakten van een laken en een lepel.

Het is nauwelijks vreemd dat sommige vrouwelijke auteurs uit de negentiende eeuw een minder zoetsappig beeld ophingen van het keukengebeuren dan Dickens. Charlotte Brontë liet in romans als *Shirley* zien dat eten bereiden belastend was voor vrouwen, dat het al hun tijd opslokte. Dit was de tweede roman van Charlotte die samen met Emily en Anne wereldberoemd werd als een van de schrijvende gezusters Brontë.

Charlotte Brontë publiceerde haar beroemdste boek, *Jane Eyre*, in 1847. Het verhaal gaat over een weesmeisje met een onopvallend uiterlijk en een passionele inborst. Het is Janes geest die de lezer bijblijft en verrast, die ook de andere personages weet te intrigeren. Een zinnelijk type is Jane niet. Meer nog, er staan meer scènes in het boek waarin de heldin eten afwijst dan dat we haar vrolijk zien smullen. Ze is vaak te uitgeput of geëmotioneerd om te eten. Jane belandt op Lowood, een school voor de armen, waar het eten erbarmelijk is. Brontë vergelijkt de smaak van de aangebrande pap met die van rotte aardappelen. Een van de leraressen, juffrouw Temple, nodigt Jane en haar vriendin uit voor een partijtje op haar kamer. Tijdens dit moment van geborgenheid eten de drie toast en cake en drinken ze thee. Brontë laat Jane de cake vergelijken met nectar. Ze heeft het over godenspijs. Voor het slapengaan fantaseert Jane soms over geroosterde aardappelen, wit brood en verse melk. Tijdens Janes Lowood-periode komt er een nieuwe huishoudster en kunnen de schoolkinderen zich verheugen op brood met kaas en koude pasteitjes. Toch is het schooleten normaal gesproken onsmakelijk.

Heel andere kost krijgen de meisjes in Charlotte Brontës roman *Villette* uit 1853. Daarin reist de Engelse Lucy Snowe naar Brussel om er Frans te leren. Het meisje, dat dezelfde inborst heeft als Jane Eyre, komt terecht in de fictieve Rue Fossette, op de school van madame Beck. Op haar eerste avond krijgt ze een lekkere saus bij de aardappelen. De samenstelling ervan ontgaat haar, iets met suiker en azijn, vermoedt ze. Als toetje zijn er gebakken peren.

De meisjes worden verwend. Tijdens hun stadswandelingen krijgen de leerlingen warme wafels, verse broodjes (*pistolets au beurre*). Lucy is, net als Jane, niet bijster geïnteresseerd in eten. Ze vreest wijn en zoetigheden en kijkt zelfs neer op schoolmeisjes die dol zijn op snoep en slagroom. Brontë associeert die hang naar zoet en vet met frivoliteit en oppervlakkigheid. Net als haar hoofdpersonage was de schrijfster een protestante die de neus ophaalde voor de lichtzinnige (culinaire) praktijken in katholiek Brussel.

In het tweede deel van *Jane Eyre* komen we terecht op Thornfield Hall, waar de inmiddels volwassen Jane gaat werken als gouvernante voor meneer Rochester, de voogd van Adèle. Jane maakt er deel uit van het personeel en Brontë laat zien hoe ze mee-eet met haar collega's. Op kerstdag mag het personeel voor een keer meeluisteren naar wat de hoge gasten aan tafel vertellen. Wanneer het huis bezoek krijgt van de vrienden van Rochester, helpt Jane mee in de keuken. Ze maakt *custard*, kaastaart en Frans gebak; ze helpt bij het inbinden van het wild.

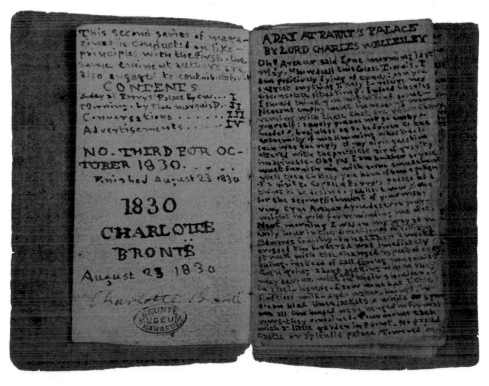

Brontë beschrijft de *toilette* van de rijke dames uitgebreider dan het eten. Ze laat zien hoe anders Jane is dan de tafelgenoten: eenvoudiger, diepzinniger. De gouvernante voelt zich onwennig bij zoveel grandeur, ze is meer op haar gemak in de keuken. Toch worden Jane en de heer des huizes verliefd. Rochester vraagt haar ten huwelijk en ze stemt ermee in. Wanneer hij voorstelt om samen te dineren, weigert ze. Daarmee wil ze wachten tot na hun huwelijk.

Ze wil pas met haar man eten als het huwelijk voltrokken is

Echte *gourmands* zijn de personages van Charlotte Brontë niet. Daarvoor zijn ze te arm en te zeer in beslag genomen door hun zorgen. Bovendien vinden de vrouwen in deze romans dat wie zich wentelt in gastronomische weelde oppervlakkig is. Wel zijn er momenten

van stil, intiem geluk. Niet zelden speelt eenvoudig eten daarin een rol: een plakje cake, een glas melk.

In vergelijking met haar zus Emily, schrijfster van de klassieker *Wuthering Heights* is Charlotte Brontë nog vrij gedetailleerd over het keukengebeuren. Bij Emily is het zoeken naar informatie over eten, al zijn er eindeloos veel verwijzingen naar momenten waarop de personages aan tafel gaan of thee zetten. *Woeste hoogten* is een vurige, gotische roman waarin geen tijd is voor culinair vertier. De sfeer is dreigend en grimmig, de personages zijn te woest en bitter om zich bezig te houden met het alledaagse. Emily Brontë beschrijft wel de geur van specerijen, van bier. Ze heeft het over droge toast, over pap, over een broodkorst — een restje van het ontbijt — over een kleine cake die gedeeld wordt met velen. De keuken in Heathcliffs huis wordt in het begin van de roman uitgebreid beschreven, het is een onheilspellende plek. De sfeer aan tafel is ijzig, er wordt niet gekeuveld. Tijdens een van zijn woede-uitbarstingen gooit Heathcliff een schaal hete appelmoes in het gezicht van zijn rivaal.

En hoe verging het de Brontës in het echte leven? Na de dood van hun moeder trok een tante in bij het gezin. De meisjes en hun broer hadden voldoende te eten. Hun vader was dominee, er kwam sober eten op tafel. In haar roman *The Taste of Sorrow* - een gefictionaliseerde versie van het leven van Emily, Charlotte en Anne - beschrijft Jude Morgan hoe Charlotte vreest dat de pap op school aangebrand zal zijn. Het meisje hoopt dat de melk in de rijstpudding niet te

(Uit Jane Eyre van Charlotte Brontë): Jane Eyre en Helen Burns eten bij het haardvuur een kruidkoek
www.charlesroux.com

kaasachtig zal smaken, ze huivert bij de gedachte aan het naamloze vlees. Charlotte Brontë volgde les op een school die leek op Lowood, later gaf ze er les. Van de grandeur van Thornfield Hall bleef Charlotte helaas verstoken. Na haar Brusselse jaren keerde ze terug naar Engeland om er te trouwen met een vriend van haar vader. In 1855, een jaar na de inzegening van het huwelijk, stierf ze aan tuberculose, net als Emily en Anne, die al eerder waren overleden.

tekst **Hanneke Spijker**

Op internet circuleert een hardnekkig lijstje met de tien duurste culinaire etenswaren op aarde. Truffel, kaviaar en saffraan zijn geloofwaardige deelnemers aan deze top tien, maar er staat ook een aardappel op: La Bonnotte.

De **duurste aardappel** ter wereld

'Au fond c'est un pomme de terre…'. Hij aarzelt, maar de eerlijkheid gebiedt chef Eric Pichou om toe te geven dat de Bonnotte een aardappel is, meer niet. Lekker, maar een aardappel. Hij kijkt een beetje hulpeloos naar Marie, de persvoorlichter van het eiland Noirmoutier. Zij bevestigt: 'Het is een geweldig product, een heerlijke vroege nieuwe aardappel, maar ik kan er ook niet meer van maken.' Hoe komt een aardappel in een lijstje met de *tien duurste culinaire etenswaren* op aarde terecht?

Op het eiland Noirmoutier (onder Bretagne) zijn ze in elk geval zuinig op de reputatie van hun aardappels. Voorzitter van de Coöperatie Patrick Michaud is een van de dertig boeren die de Bonnotte op z'n land heeft. De 150 ton die ze er jaarlijks maximaal oogsten, komen van verschillende lapjes grond. Michaud heeft bijvoorbeeld in dit stuk een perceel, daarnaast heeft een collega twee percelen, daarnaast heeft Michaud weer twee percelen. 'Oui', knikt hij, 'c'est compliqué.' In totaal bezit de voorzitter 15 hectare, verdeeld over 50 percelen. Het heeft met nalatenschap en erfrecht te maken en voor de efficiëntie is het niet gunstig, nee. Maar wie maalt daar om als de hele wereld op jouw aardappelen zit te wachten? De klanten komen in de eerste twee weken van mei in groten getale naar Noirmoutier om deel te nemen aan het oogsten en het feest na afloop. Tegen betaling van vijf euro per kilo mag iedereen achter de tractor aan lopen om de omhoog gewoelde Bonnottes te rapen. Van

een afstandje doet het denken aan een zwerm meeuwen achter een vissersboot. Vanmorgen op de markt waren ze 6,50 euro voor anderhalve kilo, dus ze doen het vast niet alleen voor het geld. Veel van de aardappelrapers komen uit grote steden als Parijs, Nantes of Metz. Die ene keer per jaar dat ze kunnen zien waar hun eten vandaan komt en het zelf uit de grond mogen halen, laten ze zich niet ontzeggen.

Dat zeewier, of zeegras, komt in het najaar over de aardappelpercelen te liggen. Om ze warm te houden en ter bemesting

De familie Saudeau uit Le Mans staat te glunderen achter het spanen doosje met Bonnottes. Ze komen elk jaar. 'Het zelf rapen is leuk. En de smaak hè, ze zijn echt lekker. Een beetje zilt door de bemesting met zeewier. Het zijn de eerste nieuwe aardappelen van het jaar en het is traditie om die te gaan halen.' Dat zeewier, of zeegras, komt in het najaar over de aardappelpercelen te liggen. Om ze warm te houden en ter bemesting. Bovendien voedt het zeewier de legende dat de aardappel een zilte smaak heeft. Dit zou komen door de constante wind en het zeewier in de bodem. Ze poten de aardappels in verhoogde bedden, een beetje zoals aspergeheuvels eruit zien. Hierdoor warmt de aarde makkelijker op, watert de grond sneller af en het waait fijn door.

Wat grootte en uiterlijk betreft doet de Bonnotte enigszins aan onze Opperdoezer Ronde denken: ook zo'n dun, kwetsbaar velletje en een onregelmatig oppervlak. Precies daarom oogsten ze de Opperdoezer ook met de hand. De Noord-Hollandse aardappel bezit zelfs een Europees AOP-keurmerk: Appellation d'Origine Contrôlée en daar kan de Bonnotte niet aan tippen. Maar goed, wat betreft marketing is de Fransman ons dan wel weer de baas. In 1996 werd vijf kilo voor omgerekend 457 euro geveild bij het Parijse veilinghuis Drouot - en daar lachen ze om in Noord-Holland. In 2014 betaalde Willem Dijk uit Enschede 300 euro per kilo voor het eerste kistje Opperdoezers uit de kas. Ze hangen het alleen minder aan de grote klok. Een berichtje op de website van Akkernieuws en *that's it*. De Fransen daarentegen vertellen aan iedereen die het horen wil hoe ontzettend duur hun aardappel is. Natuurlijk weten de mensen in Opperdoes wel dat ze wat bijzonders uit de grond halen, maar er moet alleen nog even een hype omheen gemaakt worden. Zo vloog het eerste kistje Bonnottes in 2000 met de Concorde naar New York om mee te doen aan een kookwedstrijd, serveerde Roland Garros Bonnottes aan de tennissterren, wist de Bonnotte zich te binden aan de kaviaar van het merk Petrossian en ook Alain Ducasse is ambassadeur. De Coöperatie huurde een reclamebureau in om dat allemaal voor elkaar te krijgen.

Filmploegen verdringen zich bij de oogst, het Duitse blad Geo stuurt een fotograaf en journalist en op het oogstfeest komen vierduizend mensen af, om heel lang in de rij te staan voor een plastic bakje met wat gekookte aardappels en twee gegrilde sardines. Er is muziek, de sfeer is goed en de top van de Coöperatie wrijft zich in de handen. De vrijwilligers voelen zich na een uurtje bij de barbecue als een gerookte makreel (en zo ruiken ze ook) en voor de flessen wijn vormt zich een nieuwe rij.

De terugkeer van de *boetiek*-aardappel begon in de jaren negentig. De decennia ervoor waren bepaalde rassen steeds verder teruggedrongen, omdat ze een kleine opbrengst per hectare hadden of niet mechanisch konden worden gerooid vanwege hun kwetsbaarheid. Het was de tijd van veel voor weinig. Maar toen langzaamaan de vergeten groenten hun weg terugvonden naar de voorkeur van de consument, kreeg ook de Bonnotte weer voet aan de grond. Het eiland Noirmoutier pakte de zaken meteen goed aan en naast de Bonnotte teelt het eiland nu Sirtema, Lady Christl, Esmeralda en Charlotte.

De Bonnotte komt van oorsprong uit Barfleur, Normandië en kwam in het interbellum naar Noirmoutier waar hij prima gedijt door het zachte zeeklimaat.

Chef Eric Pichou vindt het eigenlijk een beetje onzinnig om zich te focussen op die ene aardappel. 'Ik laat me inspireren door de seizoenen en door de producten om me heen. Alle aardappels op ons eiland zijn geweldig. En ik houd van nederige producten, zoals de sardine of de makreel. Maar dat bestellen de mensen niet, omdat ze verwend zijn. Dat ergert me wel eens ja.'

Hoe de Bonnotte nou in de top 10 van duurste etenswaren terecht is gekomen? De ene site citeert een bron die wel eens wat heeft gehoord of gelezen; het lijkt een beetje op het doorfluisteren van een zin. Na vijf keer doorvertellen klopt er niks meer van. We kunnen nu voor eens en altijd vaststellen dat de Bonnotte niet goedkoop is, maar een prijs van 6,50 euro per kilo is nauwelijks reden voor ophef. Bij Appie zijn ze zelfs tijdelijk te bestellen voor 3,99 euro, goedkoper dan bij de boer op Noirmoutier! Rara hoe is dat nou weer mogelijk?

www.alletop10lijstjes.nl/top-10-duurste-eten-op-aarde

tekst en foto's **Ynske Boersma**

Cuba is voor de lekkerbek behoorlijk afzien. De gemiddelde Cubaan overleeft op rijst met bonen, halfgare pizza en broodjes fantasieham, en lijkt zich er bij te hebben neergelegd dat er nu eenmaal niets anders verkrijgbaar is in het land waar het doden van een koe bij wet verboden is en boze buurman VS er al tientallen jaren nauwkeurig op toeziet dat er écht niets lekkers het land binnenkomt.

Het land naast de boze buur

Er is maar één plek op Cuba waar je lekker kunt eten. Aan de uiterste oostkant ligt Baracoa, een stadje omringd door bergen, begroeid met tropische jungle waar de bananen, kokosnoten en cacaovruchten zó van de bomen vallen.

man

Precies die ingrediënten vormen ook de basis van de keuken waar Baracoa om bekend staat, met inventieve gerechten die teruggaan tot de tijd van de Taíno, de indigena die Cuba bevolkten tot de Spanjaarden er hun slachtpartij begonnen. Maar de culinaire tradities overleefden, en vermengden zich in de loop der eeuwen met die van Haïtiaanse en Jamaicaanse immigranten. Zo eet je er vis, gestoofd in verse kokosmelk, snack je in bananenblad gestoomde pakketjes van geraspte banaan met krab, en ga je je te buiten aan *cucurucho*, een zoetigheid van met fruit en honing vermengde kokosrasp.

Wil je een kamer, of zoek je een jongen om mee uit te gaan?

En dan is er de *tetí*, een visje van vier centimeter lang en twee millimeter breed dat alleen zeven dagen na volle maan opduikt in de rivieren die bij Baracoa uitmonden in zee. Deze lokale delicatesse zou zo potent zijn, dat het bekendstaat als een afrodisiacum. Wie het visje wil vangen gooit zijn netten uit in het holst van de nacht, wachtend op het moment dat de school visjes als een zilveren wolk de riviermonding binnenzwemt. Maar, vertrouwt een oude visser ons toe: 'De teti laat zich alleen vangen door mannen met een schoon geweten. Bij wie iets op zijn kerfstok heeft, zullen de visjes door de mazen glippen.'
En zo doen er nog wel meer legendes de ronde in het stadje. Zo zal iedere dorpeling je vertellen dat wanneer je je in de Rio de Miel baadt – de Rivier van Honing - je gedoemd bent terug te keren naar Baracoa. Dat zit zo: Eens verliefde zich een meisje met een huid als honing op een zeeman, die haar liefde met passie beantwoordde. Maar toen zijn vertrek aanstaande was, overviel het meisje zo'n groot verdriet dat ze in

huilen uitbarstte in de rivier waar ze elkaar voor het eerst ontmoetten. De zeeman besloot zijn vertrek uit te stellen om zich in de rivier te baden, en is nooit meer weggegaan.

Tot 1965 was Baracoa volledig afgesloten van de rest van Cuba. Toen besloot Fidel de Baracoenses een weg uit de jungle cadeau te doen, als dank voor hun hulp bij de revolutie. Door die afgelegen ligging in de jungle heeft het stadje een geheel eigen karakter behouden. Het leven speelt er zich buiten af, op de twee wigvormige pleintjes, waar altijd wel een groepje rum drinkende oude mannetjes domino aan het spelen is, en op de veranda's van de pastelkleurige koloniale huisjes, waar complete families wiebelend op houten schommelstoelen voorbijgangers van commentaar voorzien. 'Buen día, wil je een kamer, of zoek je een jongen om mee uit te gaan?'

Aan de overkant van de Honingrivier ligt het vissersdorpje Boca de Miel. Een handvol houten huizen aan de oever van de rivier tussen de palmbomen, meer is het niet. Wanneer we de krakkemikkige houten loopbrug oversteken ontmoeten we kokosplantagemedewerker Chi Chi, die ons spontaan uitnodigt voor de maaltijd bij zijn familie. Maar eerst moeten de ingrediënten nog verzameld worden. Dat neemt Chi Chi heel letterlijk. Hij kijkt keurend naar de kruinen van de kokospalmen, gooit dan zijn touw om een stam heen en klimt omhoog met zijn machete, waarna hij vakkundig zes noten uit de boom hakt. Een dag later komen we, met de zak vol kokosnoten en de mango's die Chi Chi onderweg ook nog uit de boom plukt, aan bij de familie Terrero. Opa Emilio blijkt in de vroege ochtend op pad te zijn gegaan om zeekrabben te vangen,

die hier *jaiba* heten. Vijftig jaar viste hij voor de Cubaanse staat. Nu is hij met pensioen en brengt zijn tijd door op de veranda, zijn voeten in twee verschillende slippers gestoken. Met de krabben en kokosnoten lopen we naar het volgende huis, waar zijn ex-vrouw, vijf dochters en kleinkinderen wonen. Of we bij hen mogen koken? Prompt komen de vrouwen in actie. De één maakt krabben schoon, de ander zet ui, knoflook en groene pepers aan in een grote pan boven een houtvuur. Chi Chi raspt kokos, die oma Maria met heet water overgiet en uitknijpt boven de pan. 'Kijk, zo maak je kokosmelk.' Ze kleurt de saus met de rode zaadjes van de *achiote*, en doet er dan de krabben bij. In een andere pan koken *platanos*, die ze - eenmaal gaar - pureert met wat van de saus. Erbij salade van tomaat, komkommer en kool, mangosap, en, hoe kan het ook anders, rijst met bonen. Maar zelfs die smaken nu fantastisch. Dit is *comida criolla Cubana* op zijn best. Op de terugweg duik ik zonder aarzeling in de rivier. Hier kom ik graag nog eens terug.

tekst **Robert Moossdorff** | foto **Jozef Watulingas**

Hoe eenvoudig kan het zijn! Een receptuur zo simpel dat hij in vier cijfers te vatten is: 1:2:1:2.

Oftewel: boter, vocht, bloem en eieren. Deze eenvoud levert het meest veelzijdige basisproduct op

dat er is, de soes. Om hem wat beter te leren kennen, een stukje soezengeschiedenis.

Ode
aan de
soes

Het is 1533, de Italiaanse Catharina de Medici gaat trouwen met koning Hendrik II. Vanuit Florence neemt de eigenzinnige Catharina haar volledige keukenstaf mee naar het Franse hof. Zij is al op jonge leeftijd een groot liefhebber van alles wat het leven aangenaam maakt en verzot op de verfijnde Italiaanse keuken. Haar chef-kok is meneer Popelini, een creatief en vindingrijk man. Hij maakt behendig gebruik van lokale producten en klassieke Franse gerechten, maar geeft deze heel subtiel hier en daar wat Italiaanse verfijning.

Jaren later krijgt Popelini het beroemde werk *Opera di cucco secreto di Papa Pio Quinto* van Bartolomeo Scappi, chef-kok van paus Pius V, in handen, met een eenvoudig basisrecept van geitenmelk, boter, suiker, rozenwater, zout en saffraan dat hij aan de kook bracht, er al roerend meel aan toevoegde, totdat het mengsel gaar en dik genoeg was om één voor één enkele eieren op te kunnen nemen. Met behulp van een lepel liet hij kleine beetjes deeg in heet vet glijden, bakte ze goudbruin en serveerde dit met honing en suiker.

Chef Popelini gaat uit van nagenoeg het zelfde recept, maar maakt van het deeg een mooie ronde cirkel op een ingevette bakplaat en bakt deze in een hete oven. Hij vult vervolgens de ring met confituur

en decoreert deze royaal met vers fruit. Het kookdeeg *paté à chaud* ofwel soezenbeslag is een feit. Italiaans van geboorte, Frans bij adoptie.

Omdat vroeger banket en patisserie voornamelijk in de keuken werden gemaakt en bakkers alleen maar brood bakten, zou je kunnen stellen dat de soes in de keuken is ontstaan maar door de banketbakker is uitgevonden. Nog steeds schittert menig Franse patisserie met grootheden als kleurrijke eclairs, feestelijke croquembouche en rijk gevulde profiteroles. Nederland kent uiteraard ook klassiekers als bananensoezen, moorkoppen, kaassoesjes en de Bossche bol. Het unieke aan dit recept is het weglaten van suiker, wat het mogelijk maakt er zoete en hartige producten mee te maken. De grillige bakaard van de soes is te verklaren door de hoeveelheid vocht in het recept, dat tijdens het bakken een weg naar buiten zoekt. De veelzijdigheid zit hem in de vorm, de vulling en de keuze voor water of melk. Water geeft een grote luchtige soes met een neutrale smaak, melk maakt de soes kleiner en vleziger.

Naast de eerder genoemde klassiekers kent de moderne soes in keuken, patisserie en banketbakkerij vele creatieve toepassingen. Met één recept soezenbeslag leg je de basis voor een keur aan producten en gerechten.

Zo maak je in no-time gebak, desserts of petitfours, door in variërende diktes lange gelijkmatige banen van het beslag te spuiten. Snij deze na het bakken horizontaal door en vul ze met slagroom, mousse, ijs, vruchten of een combinatie hiervan en snij deze op de gewenste maat. Een signatuur gerecht voor de lunch, wisselend per seizoen. Of wat te denken van een kaas-dessert-amuse na het hoofdgerecht, voorafgaand aan de zoete finale. Bewaar ten slotte een kleine hoeveelheid beslag in een spuitzak. Spuit hiervan een dunne spiraal in hete olie, waardoor er een creatieve decoratie ontstaat voor op een salade of voorgerecht. Banketbakkers gebruiken soezenbeslag in hun saucijzenbroodjes om de gehaktvulling meer volume te geven. En ook hier zien we de soes in creatieve vormen aan terrein winnen.

Tot slot een persoonlijke favoriet, de Sesam Sandwich Eclair. Spuit lange eclairs en bestrooi deze, voor ze de oven in gaan, met sesam. Snij de eclairs na het bakken horizontaal door en vul ze rijkelijk met rucola, gerookte kip en zongedroogde tomaatjes. Zet de bovenkant er weer op, rijg een olijf, cherrytomaatje en een bolletje mozzarella op een prikker en steek die in de bovenkant.

tekst **Martin Woestenburg**

Als je je ogen dicht doet als je Remeker-kaas proeft, zie je het landschap in Lunteren. En met wat fantasie zie je ook het bodemleven dat aan de basis staat van de vele smaken en geuren van de kaas. Dat is hard werken voor Jan Dirk en Irene van de Voort, want complexe smaken vergen ingewikkelde processen.

Je proeft het landschap in de kaas

Mensen die bekend zijn met de Remeker-kazen zullen verbaasd zijn dat het kan, maar de nieuwe Remeker Pracht heeft nog meer smaak dan de kazen die de Van de Voorts al maakten. 'Het blokje tussen tong en gehemelte, als een snoepje en je moet niet kauwen maar zuigen,' instrueert Jan Dirk. De kaas heeft een aparte, wat brokkelige structuur en komt in eerste instantie jong over, totdat de eiwitkristallen eruit spatten en de vele smaken en geuren zich in de mond verzamelen om daar voor heel lange tijd te blijven. Het is rauwmelkse kaas die 16 maanden heeft gerijpt en dat proef je. Met de Pracht hebben nu alle kazen van Remeker een natuurkorst, ook de jongere Remeker Pril (3 maanden gerijpt) en Ryp (8 à 9 maanden gerijpt). De Pracht is de vervanger van Olde Remeker, de formidabele oude kaas in Goudse stijl met melk van Jersey-koeien. Deze *golden oldie*, waarmee ze naam maakten, had nog een rode coating van houtlijm. Tegenwoordig bestrijken ze de kazen met ghee – geklaarde boter – voordat ze de rijpkamers in gaan. En dat is maar een van de vele ingrepen die ze hebben gedaan om de smaak te verbeteren.

De smaak van de Pracht is nog complexer en ingenieuzer dan die van de Olde Remeker, doordat - nog meer dan voorheen – is gezocht naar de juiste aanpak van zorg voor de weides, de koeien, het kaasmaken en de hele affinage. Dat moet je in de kaas terug kunnen proeven.
Het was een ingewikkelde weg met veel hindernissen. Ze bouwden een nieuw natuurpakhuis en pakten het veranderingsproces samen met wetenschappers van Wageningen UR op als een project dat kennis op moet leveren voor andere boerenkaasmakers die rauwmelkse kazen willen rijpen in natuurkorst. In het voorjaar zijn de eerste resultaten van dit project Proeftuin gepresenteerd op de boerderij. Kennis ontwikkelen en delen is een beleidspijler daar in Lunteren. Ze zijn de avant-garde van de natuurkorstkaasmakers.

Maar wat is nou de zo kenmerkende smaak van Remeker? De Wageningse zuivelkundige Kasper Hettinga onderzocht welke geurstoffen er in de melk en de kaas van zowel Holsteiner- als Jersey-runderen zat, en kwam zo tot 43 geurcomponenten: vrije vetzuren, aldehydes, esters, ketonen, alcoholen en zwavelgeurstoffen. Waarom alleen geurstoffen? Omdat dat stoffen zijn die wetenschappers met een gaschromatograaf nauwkeurig kunnen bepalen. Smaak, vertelde Hettinga in zijn presentatie, is niet in stofjes te vertalen. Smaak is dus eigenlijk te ingewikkeld voor wetenschappers. Dat is wel een mooie gedachte, want als er al 43 geurcomponenten zijn, wat wil je dan nog meer? Behalve genieten dan.

Het onderzoek naar de geurstoffen geeft veel prijs over de verschillen tussen Remeker en de andere kazen. De melk van Remeker bevat meer aldehydes, ketonen en zwavelgeurstoffen. Ook de ghee waarmee ze de natuurkorst instrijken, bevat veel geurstoffen, en dat heeft waarschijnlijk een positief effect. In de kazen zelf een vergelijkbaar patroon. Van de fabriekskaas met het minst complexe geurstoffenprofiel zie je de combinatie van geurstoffen qua complexiteit en intensiteit oplopen tot je bij de rauwmelkse boerenkaas bent. Die kazen hebben de meest complexe geur, en die met de natuurkorstkaas zijn de *overall winner*.

De smaak van kaas begint bij de manier waarop de boer zijn land beheert. De graslandonderzoeker van de Wageningse Universiteit houden niet voor niets zoveel excursies in Lunteren om er het grasland en het extreem goed ontwikkelde bodemleven te bewonderen. De boer heeft al zijn zware machines aan de kant gezet. De grond kan daardoor beter doorluchten. De pendelaar, een worm die dagelijks op en neer gaat tussen het grondwater en de tweede bodemlaag, is terug! Van de Voort zelf is er van overtuigd dat je de gezondheid van het landschap terug kunt proeven in de kaas. 'Wanneer je op natuurlijke wijze werkt, wordt het ook echt je eigen kaas. De schimmel die je voor de kaas nodig hebt, vormt zich hier op het land en in de koe, dat is onze *terroir*. De schimmel gaat door de koe heen en komt via de buitenkant van de speen in de melk terecht.'

Jan Dirk vertelde dat ze, bij de ontwikkeling van de natuurkorst, tegen allerlei problemen opliepen: 'De pH-waarde, de roodschimmel en de kaasmijt. Het was een moeilijk traject, waarbij we ons telkens afvroegen hoeveel kazen we nog konden redden. Al die problemen hingen met elkaar samen. De mijt bestreden we met lavendel, maar dat gaf weer problemen met de luchtvochtigheid. Nu blazen we de mijten weg.' Hij geeft toe dat hij ook niet meer zo anti-mijt is: 'Hij geeft ook iets zoets aan de kaas.'

Twee stofjes geven een indicatie waarom Remeker kaas naar het landschap smaakt. Hettinga ontdekte ze: 2-Heptanon en 2-Nonanon. Het laatste stofje komt veel voor in blauwschimmelkaas, wat wellicht de mooie umami-smaak van alle Remeker-kaas verklaart. Volgens Wikipedia zou het ook gebruikt te worden als geurstof voor lavendelparfum. Over 2-Heptanon zijn er ook mooie verhalen. Zo zetten bijen de stof in als een verdovingsmiddel tegen mijten en wasmotlarven, en is het soms een additief bij de productie van bier, wittebrood, boter en kaas. Maar dan vraag je je toch af waar dat 2-Heptanon vandaan komt? Je herkent de stof aan de bananengeur. Hebben de mijten er iets mee te maken? Misschien is dat het zoete waar Van de Voort het over had in verband met de mijt? Het project Proeftuin is nog lang niet af. Niemand houdt je tegen als je in Lunteren langs gaat om de kaassnoepjes te proeven: niet kauwen, maar zuigen.

www.remeker.nl

tekst **Margot Schachter** | vertaling **Jacques Meerman**

Arancini...
maar dan anders

Op het zeventiende-eeuwse Sicilië heetten koks monsù ofwel mesjeu, want de hoge heren haalden goede Franse koks in huis om hun maaltijden een adellijk tintje te geven. Wat uiteindelijk gebeurde, was dat diezelfde koks de alledaagse gerechten en simpele ingrediënten van het eiland naar een hoger plan brachten, en daarmee ontstonden de gerechten die ze er tegenwoordig nog steeds eten. Zo gaat het op dit eiland altijd. Met zijn smaken en producten verrukt en verleidt het iedereen die in de buurt van zijn keuken komt, een keuken die van barokke vormen en praktische smaken houdt. De geschiedenis herhaalt zich, maar de monsùs van tegenwoordig zijn de vele chefs die in de beroemdste restaurants ter wereld ervaring opdoen en terugkeren naar hun geboortegrond om er een creatieve, moderne gastronomie te ontwikkelen. Hun punt van vertrek en symbolische aankomst is zo klassiek Siciliaans als een arancino — straatvoedsel dat weinig meer dan een euro kost. Je koopt het aan een kraam, krijgt het vers gefrituurd, eet het met je handen en raakt in extase zodra je je tanden in de knapperige korst zet en de rijst met saffraan rond een hart van vleessaus met erwtjes proeft.

In een goede restaurantkeuken zijn arancini het symbool van je Siciliaanse roots. Je drukt er je technische kennis en je hele gastronomische filosofie mee uit. **Pino Cuttaia** is de voorman en het stralende middelpunt van deze nieuwe, mediterrane stroming. Zijn restaurant La Madia in Licata (Agrigento) heeft twee Michelinsterren en serveert zijn arancini al sinds jaar en dag. Maar wat ooit een provocatie was, is tegenwoordig een vanzelfsprekende *signature dish* met mulragù, pijnboompitten, rozijnen en een saus van wilde venkel. **Martina Caruso** is de briljante, piepjonge, kersverse Michelin chef van Signum, een restaurant midden op het Eolische eiland Salini. Zij maakt arancini met een ragù van schorpioenvis en saffraan. Een andere veelbelovende jonge beoefenaar van de zuidelijke keuken is **Giuseppe Raciti** van restaurant Zash in Riposto (Catania), die met vormen en panades speelt in zijn arancino van ansjovis. Weer een ander jong talent is **Giuseppe Coasta** van Il Bavaglino (Terrasini) die couscous gebruikt in plaats van rijst en zijn versie vult met schaal- en schelpdieren. De arancini zijn steeds anders, maar vormen een rode draad die tot vlak bij de drukke Vucciriamarkt in Palermo doorloopt. Chef **Gioacchino Gaglio** van restaurant Gagini maakt er een *vrouwelijke* arancina, dus eindigend op een a, want anders dan op de rest van het eiland is een arancina bij hem in Palermo — tomaten, vis van het strand, kappertjes uit Salina en tempura van kreeft — onmiskenbaar vrouwelijk.

www.ristorantelamadia.it,
www.hotelsignum.it,
www.zash.it,
www.giuseppecosta.com,
www.gaginirestaurant.com

tekst **Anneke Kooijmans**

Morgen laat ik een tatoeage zetten. Een slanke kronkelige chilipeper op mijn onderarm. Een klein plantje met een grote invloed op de culinaire wereldgeschiedenis, dat zich ook stevig in mijn persoonlijke leven geworteld heeft.

Spice is nice

Columbus ontdekte de chilipeper in Latijns Amerika, terwijl hij eigenlijk zocht naar de Aziatische peperkorrel. Met peper brachten Europeanen hun voedsel op smaak en de korrel was zo waardevol geworden dat men er zelfs de huur en het loon mee betaalde. Columbus accepteerde de chilipeper als alternatief. Hij noemde haar *pimiento,* naar de Aziatische korrel die *pimienta* heet. In het Nederlands vertaald als chilipeper, een samenvoeging van chili – de Azteekse benaming voor de plant uit Latijns Amerika - en peper, de zwarte korrel uit het Oosten. De benaming leidt tot op de dag van vandaag tot

spraakverwarring, want peper heeft dus eigenlijk niks met chili te maken.

Columbus keerde terug naar Spanje en hoopte dat zijn ontdekking hem rijk zou maken. Maar in tegenstelling tot cacao, suiker, thee of peper, is niemand rijk geworden van de handel in chilipeper, totdat Edmund McIlhenny in 1868 Tabascosaus op de markt bracht. Wel valt het plantje een andere eer ten deel. Ze werd het allereerste geglobaliseerde en democratische voedselproduct ter wereld. Chilipeperzaadjes verspreidden zich razendsnel door Zuid-Europa, Afrika en Azië, want het plantje gedijt onder verschillende omstandigheden. Zelfs de allerarmsten, van Mexico tot India, konden chilipeper gebruiken om een vlakke maaltijd smaakvol en pittig te maken. Het werd een luxe die iedereen zich kon veroorloven. De liefde voor taco's en chilipepers is het enige dat rijke en arme Mexicanen met elkaar gemeen hebben.

Het is in dat land, Mexico, dat chili-pepers wortel slaan in mijn leven. *Más mexicano que el chili piquín* zegt het spreekwoord *Mexicaanser dan een chilipeper*. Als ze het symbool voor de nationale identiteit is, móet ik wel van haar gaan houden, realiseerde ik me snel toen ik arriveerde in Mexico-Stad. Op weg naar mijn nieuwe huis rook ik de geurencombinatie die al duizenden jaren door Mexico walmt: geroosterde maïs en chilipeper.

Het land kent ongeveer zestig chili-soorten, waarbij de gedroogde variant van een verse chilipeper een andere naam krijgt. Zo is de rokerige *chipotle* de gedroogde versie van *jalepeño*, die weer genoemd is naar de stad Jalapa, waar ze vandaan komt. De meest gebruikte verse peper is de kleine groene *serrano* (letterlijk: uit de bergen). Mexicanen gebruiken verse chilipeper in de koude sauzen (tomaat met geroosterde ui, knoflook en chilipeper) die ze werkelijk overal overheen scheppen. Op de markt kijk ik mijn ogen uit als de pepers per kwart kilo verkocht worden, maar al snel koop ik zelf ook groot in. Combinaties van gedroogde chilipepers zijn de basis van warme sauzen die de Azteken *mulli* noemden, tegenwoordig mole. De donkere molesaus die je bij Mexicaanse restaurants krijgt is daar slechts een variant van, de *mole poblano*. Deze wordt traditioneel op bruiloften geserveerd, terwijl men meezingt met volkszangeres Chavela Vargas: '*Yo soy como el chile verde llorona, picante pero sabroso*' – Ik ben als een groene chilipeper, pikant maar smaakvol.

Niet alleen hedendaagse ontdekkings-reizigers rakelen verhalen op over de alomtegenwoordigheid van chilipepers in Mexico. In Columbus' tijd deden ze dat ook. Ze waren zo belangrijk dat Indianen vastten door zichzelf chilipeper te ontzeggen. Het irriterende bestanddeel – capsicum - kwam ook buiten de keuken van pas. Jagers en soldaten wreven hun handen en voeten ermee in om warm te blijven. Tijdens oorlogvoering vuurden ze kalebassen vol vermalen chilipepers op vijanden af. In de Codex Mendoza, een boek over leven in het Azteekse rijk, kun je een tekening zien van een elfjarig meisje dat voor straf in de rook van verbrande chilipepers moet blijven staan. Het gewas vormt een onderdeel van de *milpa*, de traditionele akker van maïs, bonen, kalebassen en chilipepers.

In het spoor van Columbus zet ik na mijn ontdekkingsreis door Mexico koers naar Spanje. Het eerste gerecht dat ik daar eet is een salade van geroosterde paprika's (chilipepers) met pijnboompitten en een dressing van olijfolie en paprika sap. Ik ben nog maar net in mijn nieuwe thuisland en daar heb je die chilipeper weer.
Nadat de chilipeperzaadjes de oceaan overstaken, kweekte men er lustig op los. Zo ontstonden paprika en goulash in Hongarije en werd de curry pittig in India. Ook in Spanje werd de chilipeper doorgekweekt en aangepast aan de Spaanse smaak. Het waren vooral monniken die succesvol doorkweekten. Twee belangrijke Spaanse chilipepers komen van hun hand.
Bij alle supermarkten en groenteboeren zie je aantrekkelijke rode blikjes met *pimentón de la Vera*. Deze gemalen pepers komen uit de La Vera-regio, aan de grens met Portugal. De streek is bekend vanwege haar vochtige microklimaat dat contrasteert met het extreem hete en droge klimaat in de rest van de provincie Extremadura (letterlijk: extreem zwaar).

Nadat monniken twee eeuwen hadden geëxperimenteerd met chilipepers, en ze minder pittig hadden gemaakt, gingen tabaksboeren met de pepers aan de slag. Ze rookten de pepers, samen met tabaksbladeren, en dit gaf ze de smaak waar ze nu om bekend zijn.

In mijn eerste week Spanje koop ik zo'n felrood blikje. Ik ben gretig om weer pit te proeven. Ik lees dat het ook op de Canarische eilanden populair is en volg het recept voor *Canarische aardappel*. Ik zet een halve kilo aardappelen met dikke schil op, doe er twee eetlepels zout bij en laat het kookwater volledig verdampen. Het zout geeft de aardappelen een geconcentreerde smaak en bedekt ze met een wit laagje. In een kommetje meng ik vier geperste knoflookteentjes, twee theelepels pimentón de La Vera,

een kwart theelepel komijnpoeder, zes eetlepels olijfolie en een eetlepel witte wijnazijn. Ik doop de aardappelen in het sausje en geniet.

In Murcia gebruiken ze ongemalen chilipepers, net als in Mexico. De ronde, donkere ñora pepertjes zijn vriendelijk, qua smaak en qua uiterlijk en in Murcia bereiden ze er veel rijstgerechten mee. En in Catalonië maken ze Romesco saus, voor bij de vis of bij gegrilde jonge prei: een halve kilo tomaten gaat met een teentje knoflook in folie onder de gril. Zestig gram amandelen worden geroosterd in een koekenpan. In een foodprocessor wordt dit gemengd met witte wijnazijn en olijfolie. En natuurlijk de geweekte ñora peper. Altijd weer die chilipepers.

tekst Will Jansen | foto's **Kristina Waterschoot /Veeteelt België**

Met de koeien naar de
zomer.
weide

Het is half vijf en kil. Het ochtendlicht meldt zich breekbaar, de nevel wil nog niet wijken. Een stuk of twintig slaapdronken kokskoppen drommen samen. Op uitnodiging van De Lindenhoff in Baambrugge, gaan we diep in het zuiden van Frankrijk, in de buurt van Foix, onder aan de Pyreneeën, Gasconne koeien naar hun zomerweide brengen.

Gesmoorde stemmen wijzen elkaar de weg. Een brede beek barst onder onze voeten door. Achter de bosschages klinken heldere geluiden. Nog een bocht, een steil pad omhoog, weer een bocht en daar zijn ze. Zo'n zestig koeien en kalveren zijn al aan de weg naar boven begonnen. De moeders hebben koebellen om die gezamenlijk een prachtig orkest vormen. Er lopen veel kalveren mee, dat zie je aan hun geelbruine kleur. Pas als ze ongeveer een jaar oud zijn, is de kleur egaal grijs. Ze groeien een kilo per dag. Gasconne koeien kalven 98% zonder hulp, dus er zijn nauwelijks keizersneden. Dat geeft rustige beesten, van oorsprong makkelijke werkers op het land en in het bos.

We kunnen de beesten niet bijhouden, zeker niet als ze plotseling gas geven. Daar loop je dan met je goeie fatsoen, hijgend achter een stel koeienbillen aan. Niet in te halen. Na vijf minuten hollen is het alsof een scheidsrechter het spel heeft stilgelegd. De koeien lijken overleg te plegen met elkaar. De begeleidende boeren controleren hun *troupeau*. Gelukkig halen we ze in. Dan begint het orkest opnieuw. We passeren dorpjes, waar de bewoners uit het raam hangen of langs de weg staan. De Transhumence is een memorabele dag, die ze hier omlijsten met eet- en dansfeesten. Langs eeuwenoude trajecten zoeken de dieren hun weg naar boven. Ze hebben er zichtbaar lol in, hoewel de dunne stront op de weg ook aangeeft dat er stress is, volgens oer Gasconne-kenner Ben te Voortwis.

- - - - - - - - -

Daar loop je dan met je goeie fatsoen, hijgend achter een stel koeienbillen aan

- - - - - - - - -

De zomerweide ligt op 1200-1300 meter. Het gras is daar gratis en mals en er groeien veel kruiden. Dat van de graasweiden beneden kan gebruikt worden om te hooien. De weg naar boven is links en rechts afgezet met blauwe draden, zodat de koeien niet kunnen afdwalen en niets ontziend de wapperende was ondersteboven lopen. Plotseling slaan ze één voor één linksaf een bospad in. Een hoofdkoe houdt de boel in de gaten en sluit achter aan. Het bord ernaast zegt dat het een randonneurspad is, voor de geoefende wandelaar. Hier is het echt steil en verliezen we in een oogwenk de koeien uit het zicht. Ze gaan drie keer zo snel als

wij. En toch, als we boven komen en het spul alweer vredig loopt te grazen, blijkt dat we de route in amper drie uur hebben afgelegd. De meeste koks zijn effe niet aanspreekbaar. En weer lijkt het alsof de scheids gefloten heeft. In draf gaan de koebeesten in een lange rij een veld hoger voor nog sappiger gras.

Later op de dag houden we picknick op een andere top. Daar grazen meer dan zeshonderd koeien. Je ziet her en der kleinere kuddes over de hellingen zwerven. Delphine Lagarde (26) is de koeienhoeder. Ze is hier zes maanden op haar dooie eentje verantwoordelijk voor al die koeien. Haar vader is met pensioen dus nu is zij boerin. Ze mist het leven van beneden niet. En de stad dan? Je bent toch jong en zo? 'Nooit in de stad geweest. Ik heb een prima leven zo.' Tja, en dat zonder elektriciteit of stromend water. Hoe ze alles in de gaten houdt of weet dat er geen koeien weg zijn? 'Ik tel ze 's morgens. Dan komen ze hier bij elkaar om nieuwtjes uit te wisselen en kan ik zien of iedereen er is.' Als we later met een kleine groep nog door de bergen wandelen, nou ja, klauteren, vinden Willem en Dirco te Voortwis de restanten van een koe, van die witbleke botten. Ze leggen wat knekels bij elkaar en weten dat het beest een jaar of vijf oud was. Waarschijnlijk ziek en uiteindelijk opgegeten door de gieren en dat soort bergbewoners.

Het heeft wel wat van een pelgrimstocht. Als kok zul je niet gauw meer afscheid nemen van het Gasconnerund. Als je meer weet over herkomst en over de zorg die die beesten krijgen, kun je met meer kennis en enthousiasme je

gasten uitleggen dat ze heel apart vlees eten. Interessant is in dat kader nog de opmerking van Dirco: 'De incourante delen zijn voor de betere restaurants. Die zijn veel meer met het hele beest aan de slag gegaan.' Vroeger was het precies andersom. Tegenwoordig is het een pré als je rundertong, koeienhart en staart verwerkt. Sommige koks zijn er trots op dat ze oudere Gasconne koeien verwerken die zeven of acht keer gekalfd hebben en een goed leven hebben gehad. Als je er naar vraagt, voelen de chefs zich sowieso prettig in de relatie met hun (vlees)leverancier: korte lijnen, persoonlijke touch. Alex Zeelenberg van Te Koop in Utrecht: 'Ik kies bij Dirco zelf mijn kalf uit.' Cassidy Hallman van het Pullitzer in Amsterdam: 'Ik bestel 100 kilo lamsschouder tegelijk en het is altijd van dezelfde kwaliteit.' Marcel de Leeuw van Double Tree Hilton in Amsterdam: 'Wij doen bij hen ook varken, kaas en boter en dat in grotere hoeveelheden. Gaat altijd goed.'
www.lindenhoff.nl

tekst **Donald Buijtendorp** | foto **Thomas Graversen**

Als je voor schadebestrijding een dier schiet, of het nu zwaan, spreeuw, wild zwijn of damhert, dan moet je je ook bedenken wat je met het beest gaat doen. Weggooien is geen optie, daar is vriend en vijand het wel over eens. Vrienden zijn jagers, poeliers, verstandige consumenten en natuurlijk de verstokte carnivoren. Vijand zijn de Partij voor de Dieren, Wakker Dier, vegetariërs en veganisten, jager-haters en andere diervriendelijke activisten. Het gekke is dat beide groepen tegen verspilling zijn. Weggooien, no-way. Opeten, er iets lekkers van maken, is de enige denkbare oplossing.

Wilde
gooi je niet weg

gans

In het najaar zal er vast en zeker het nodige tumult ontstaan over de damherten in de Amsterdamse Waterleidingduinen. Er moet zoveel geschoten worden dat de wildhandel zal weigeren alle geschoten dieren te kopen. Een klein deel zal in het voedselcircuit komen en de rest wacht destructie. Uiteindelijk draait alles om het geld. Met kerst kunnen de wildhandelaren alles kwijt. De restaurants willen het hebben, ook de consument eet zich in de feestmaand suf aan ree, hert, wildzwijn en ander wild. In januari zakt de markt weer in tot nul, terwijl de jacht op ganzen en damherten gewoon doorgaat.

Met het in het voedselcircuit brengen van wild, en dus ook van de wilde gans, zijn we gebonden aan de *mysterieuze*

voedselveiligheid. De EU en ook Nederland wil ieder risico uitsluiten. Met grofwild (ree, wildzwijn en hert) gaat dat wel goed. Als de jagers op de juiste manier het darmpakket in het bos uit het dier halen, bezoedeling voorkomen en hem binnen een uur in de koeling stoppen (en dat gebeurt ook), gaat het vlees correct het voedselcircuit in. Met de wilde gans is het wat lastiger. Die jagers gaan 's ochtends vroeg het veld in. Schieten een aantal ganzen en brengen het eigenlijk te laat, niet binnen een uur, naar de koeling. Technisch heb je dan een probleem. De wildhandelaar moet het afkeuren, want het dier heeft te lang buiten de koeling gelegen. Allemaal waar! Maar is de veiligheid nu echt in het geding? Nog nooit is er een mens in Nederland gestorven aan vlees van

geleden, is dit stukje wild van het menu verdwenen. Nog steeds is de gans een beschermde diersoort, maar hij wordt nu krachtig bestreden vanwege schade aan landbouw. De provincies moeten voor de jacht ontheffing verlenen en doen dat ook, maar niet collectief. Dat geeft gemor.

Politiek, jagers, boeren en wildhandelaren krijgen de handen op elkaar om de gans op correcte wijze het voedselcircuit in te brengen, maar dan moet het nog zijn weg vinden naar de consument. Geld voor grootscheepse campagnes is er niet. Het aantal ganzen dat jagers aanbieden

> ## Die jagers gaan 's ochtends vroeg het veld in. Schieten een aantal ganzen en brengen het eigenlijk te laat, niet binnen een uur, naar de koeling

gans of eend dat een paar uur buiten de koeling heeft gelegen. Maar nee, regels zijn regels en als dan toezichthouder NVWA ook nog daarop gaat handhaven, zit er niets anders op dan het beest te vernietigen. En dat willen we nu net niet.

De gans heeft een hoge lichaamstemperatuur (40 graden) die niet snel afneemt in de buitenlucht. Zijn eigen isolatiepakket van dons, veren en vet is de reden. Niet op tijd in de koeling betekent een reuk die je niet wilt. Bak, braad of stoof je hem daarna op een iets te hoge temperatuur, dan jaag je iedereen de deur uit: leversmaak, wildlucht. Nooit meer eten ze gans. Jonge chefs hebben geen idee wat je met gans moet doen, want na het politieke ganzenjachtverbod van 26 jaar

lijkt veel, maar effectief staat het in totaal gelijk aan een paar dagen kip. Het is dus een exclusief stukje vlees. Dat is prima, maar dan moet je het ook wel exclusief gaan vermarkten. Daar heb je (bekende) chefs voor nodig. Proeven en weer laten proeven.

Beste chefs, zet het op je menu. Maak er heerlijke gerechten van en laat de consument kennis maken met dit eerlijke stukje vlees. Een verse braadworst met een stamppotje van raapstelen is al genieten. Eenvoud!

echt

tekst **Will Jansen**

Bier drinken en vooral bier maken is populairder dan ooit. Pils is uit, bier met smaak en body eist de hoofdrol op. Vakblad Misset Horeca meldt dat er in ons land per juni 2016, 422 brouwerijen zijn, waarvan 220 met een eigen brouwerij. Namen als Jopenbier, De Leckere, Het IJ en Bier van Tessel maken furore. Bouillon! proefde hier en daar een slokje mee. Vandaar deze Biermix.

bier!

Bierbrouwen is een vrouwenkwestie

'Tot zo'n vierhonderd jaar geleden bestonden woorden als brouwer of, in het Engels brewer, niet eens, maar wel brouwster en brewster,' zegt Sophie Vanrafelghem als ze uitlegt waarom het onzin is dat *bier en bierdrinken niks voor vrouwen is*. 'Het alleroudste document dat ik ken is een ode van vijfduizend jaar geleden aan de Sumerische godin Ninkasi. Alleen priesteressen mochten het bier brouwen om haar te eren. Het was religie. Ninkasira betekende proost. Er zijn uit 2500 voor Christus ook 20.000 kleitabletten gevonden met van alles over bier: recepten, wetgevingen, hoe het te schenken en wanneer. Bier was

>>

Schuim

Onlangs bracht cross mediaal platform Schulm het eerste magazine uit. Het lest, met honderd pagina's, dorst naar meer kennis en informatie over speciaal bieren, brouwers, recepten en evenementen. Zelfs de vorm van de fles of het glas krijgt aandacht.

Het Elfde Gebod terug op de markt

Bierbrouwer Hertog Jan brengt samen met de Stichting Geniet&Geef voor KiKa Het Elfde Gebod tijdelijk terug op de markt. Geniet&Geef is een jaarlijkse actie waarbij horecaondernemers geld inzamelen voor KiKa. De brouwerij zal twee maal 76 hectoliter brouwen, evenveel als het percentage kinderen dat op dit moment geneest van kanker: 76%. Vanaf donderdag 1 september 18.00 uur is het verkrijgbaar op de tap van meer dan 160 Nederlandse cafés. Daarnaast brengt Hertog Jan het uit in kruikjes

>>

ook goed voor de huid, staat daarin beschreven. De tabletten liggen nu in het Louvre Museum.'

De stad Mechelen heeft de hulp van Sophie ingeroepen om te laten zien hoezeer de stad verbonden is aan bier en welke rol daarbij de vrouw speelt. Sta je op de grote markt dan tel je zo al zestien biercafé's. In het verleden had iedere sociale groep zijn eigen *stamminé*. Bij Den Amitié dronken alleen ambtenaren. Een paar deuren verderop kun je goed terecht bij Honoloeloe. De eigenlijke naam is veel langer: Als ik mijn ogen toe doe, ben ik in Honoloeloe, naar een gedicht van Jules Deelder. Aan de andere kant van het plein vind je In den Beer. In de middeleeuwen was hier het stamcafé van de latere keizer Karel V die tot zijn vijftiende opgroeide in Mechelen, onder de hoede van Hertogin Magaretha van Oostenrijk, landvoogdes van de Nederlanden. Ze was op haar 24ste al drie keer getrouwd geweest en liet zich niet meer uithuwelijken, om vol overgave neef Karel op te kunnen voeden. Karel was graag op jacht. Op een keer kwam hij vuil en gehavend terug en wilde zijn dorst lessen bij Café

die verkrijgbaar zijn in geselecteerde slijterijen en supermarkten.
Het Elfde Gebod is een goudblond bier van hoge gisting en bevat 7% alcohol. De Arcense brouwerij vindt het een mooie gelegenheid om de liefhebber opnieuw te laten genieten van deze klassieker. Meesterbrouwer Gerard van den Broek: 'Het

bier was in de jaren negentig erg geliefd. De samenwerking met deze stichting is voor ons een mooi moment om het weer te brouwen. Het Elfde Gebod staat voor Gij zult genieten en in de wetenschap dat je met ieder glas een donatie doet aan KiKa, zal dat nog beter lukken.'

Vijfduizend jaar oud bier
Wetenschappers hebben een vijfduizend jaar oud recept voor bier opgeduikeld tussen de resten van een brouwerij in China. Ze zeggen dat in 3.000 voor Christus Chinezen al bier brouwden met verschillende granen, zoals gerst, gierst en jobstranen.

In den Engel. Uitbaatster Kwaaie Bet herkende hem niet en weigerde hem de toegang. Karel ging naar huis om zich te kuisen en kwam in vol ornaat terug. Kwaaie Bet natuurlijk volop excuses, maar voor straf moest ze de naam van haar café veranderen naar In den Beer. Karel V dronk, eenmaal in Spanje, bij het ontbijt anderhalve liter bier. Dat was niet omdat hij per se zo verslaafd was, maar omdat zijn enorme onderbeet hem verhinderde te kauwen. Het bier liet hij speciaal overkomen uit Mechelen. De stad had toen veertig brouwerijen die allemaal water namen van de Dijle die dwars door de stad stroomt. Lang is het ook een garnizoensstad geweest. Als de militairen verlof hadden kwamen ze, op weg naar het station, op de Grote Markt en de Vismarkt langs allerlei verlokkende cafés waar *uitzuipmeisjes* het gemunt hadden op hun soldij.

The Ale-House Door, (1790) Henry Singleton

Terug toch nog even naar Vanrafelghem. Zij houdt er als biersommelier en bierjury goed ontwikkelde ideeën op na om de anti-vrouwen clichés te tackelen. 'Bier is niet elegant, dat drink je niet aan tafel. Bier is een dikmaker. Bier is een mannenzaak. Welnu, brouwen was heel lang een van de taken van de huisvrouw. De enig overgebleven bierbrouwerij van Mechelen, Het Anker, was oorspronkelijk van de Begijnen die het voor eigen gebruik en voor de zieken in hun verpleeghuis brouwden. Bier is helemaal geen dikmaker. Het is voor 90% water en als je het over dikmakers hebt, kijk dan eens naar appelsap of vruchtenyoghurt. Zelfs wijn heeft twee keer zoveel calorieën. Als je bier in dezelfde hoeveelheid drinkt, >>

Onderzoekers van de Universiteit van Stanford maakten van de minuscule resten die ze vonden in potten, kruiken en trechters uit vijfduizend jaar oude, ondergrondse woonruimtes chemische analyses en ontdekten graansoorten die waren verwerkt tot droge korrels. Dat wijst erop dat de oude Chinezen het graan >>

krijg je minder alcohol binnen. Awel, je krijgt honger van bierdrinken, honger naar vettige producten. Vandaar de bierbuiken. En dat het niet elegant is? Drink je het bij het eten in wijnglazen dan is er niets aan de hand. Het geeft meteen een heel andere beleving. Bier heeft veel in zijn mars als begeleiding bij het eten. Aangezien er hop in verwerkt is, een sedatieve plant, is het ontstressend en kun je er goed van slapen. Drink je regelmatig bier, dan is dat goed voor je botten en zelfs helpt het je door de ongemakken van de overgang. Genoeg reden al met al om eens anders naar bier te kijken.'

Dat Mechelen veel op heeft met bier en bierdrinkers zie je ook aan het iconische stadsbeeldje Opsinjoor. Als vroeger de echtgenoot rondom dronken thuiskwam, wilden de buren hem nogal eens met een groot laken omhoog gooien. Soms ging dat fout als die man naast het laken op de grond landde. Dus hup, verboden. Daarom namen ze toen een houten pop, die ook bij optochten door de straten meeging. Bij zo'n gelegenheid kreeg een Antwerpenaar, een sinjoor (diknek), de pop op zijn kop en sindsdien heet hij Op Sinjoor. Het beeld staat in brons voor het stadhuis.

omzetten in mout om er later bier van te brouwen.
Het meest verrassende ingrediënt in de kruiken is gerst, oorspronkelijk afkomstig uit het gebied tussen Syrië en Afghanistan. Het kan zijn dat het graan speciaal voor het maken van bier, via de toen al bestaande handelsroutes, naar China is gebracht.

De biermakers voegden ook delen van planten toe die veel suikers bevatten. Volgens hoofdonderzoeker Jiajing Wang moet het bier een zoetzure smaak hebben gehad.

Worsten met speciaalbier
Olijck in Haarlem brengt sinds 2013 droge worsten met telkens nieuwe smaken bier. Ze willen voor elke stad met een speciaalbier een eigen worst te maken. De partners Olivier Nipshagen en Remko Hol leerden het worstenmakers-vak in de Piemonte. Hun

Het Anker, de enig overgebleven brouwerij, staat middenin de stad, tegen het voormalige Groot Begijnhof, dat nu meer een kunstenaarskwartier is. Het Anker bestaat sinds 1550 en is al generaties lang een familiebedrijf, anno 2016 in handen van Charles en Claire Leclef. Ze brouwen eens per week en in totaal vier miljoen liter per jaar en voeren een tiental bieren. Beroemd en bekend zijn de Gouden Carolus Classic en Tripel. Verder zijn er Hopsinjoor, Ambrio, Cuvée Blauw en Rood, Christmas, Lentebok, Lucifer, Boscoli en het stadsbier de Maneblusser. Sinds 2010 heeft Charles Leclef zich ontfermd over een oude familietraditie: whisky stoken. Het Anker maakt een single malt, de enige whisky van België. Los van alle andere bezienswaardigheden in de voluit groene stad, is een bezoek aan de brouwerij de moeite waard. Er is een hotel met restaurant, dus je kunt in de brouwerij eten en slapen. Pak de belevingsgids Bier in Vrouwenhanden met proefplan en korte basiscursussen en je zult geen last krijgen van cenosillicafobie, de angst voor een leeg bierglas.

Bier helemaal van eigen bodem?

tekst **Michiel Bussink**

De craft beer revolution, begonnen in de Verenigde Staten, is nu ook overgeslagen naar Nederland: vorig jaar kwamen er zo'n 140 nieuwe micro-brouwerijen bij. Maar terwijl de mini-brouwers in de VS lokale en regionale hop en brouwgerst gebruiken, staat bier van Nederlandse bodem, wat dat aangaat, nog in de kinderschoenen.

Aan het eind van een lang zandpad door het bos, ergens ten zuiden van het Overijsselse Ommen, gloort licht. Daar is het boerenerf van de familie Blekkenhorst, waar Marianne en Heico de biologische koeien melken, waarmee ze hun prijswinnende boerenroomijs maken. Hier brouwt ook broer Harry zijn Pauwbier. Een mannetjespauw met zijn kleurrijke verenpracht siert de etiketten van alle acht speciaalbieren. Vooral te koop in Overijssel: een echt streekbier dus. *Indien mogelijk gebruiken we hiervoor mout van biologisch geteelde gerst uit het Overijsselse Vechtdal*, staat op de website van de Pauwbrouwerij. Aha, hier dus wél bier helemaal van eigen bodem, soms. >>

eersteling, de Olijcke Italiaan, was gemaakt met rode wijn. De tweede worst maakten ze met Jopen bier uit Haarlem. De Olijcke Joop is inmiddels hun best verkopende product en is bekroond met gouden oorkondes van zowel het Slagers- als het Worstmakersgilde. Anno 2016 maken ze samen met brouwerijen zoals Jopenbier

>>

Dat is opvallend genoeg niet het geval bij het gros van de pakweg vierhonderd Nederlandse micro-brouwerijen. Of, beter gezegd, ze hebben vaak geen idee waar hun brouwgerst vandaan komt. Misschien uit Zeeland, maar het kan ook best Frankrijk, Canada of Argentinië zijn. De mout wordt ingekocht bij moutgiganten Holland Malt in Eemshaven, Dingemans in Antwerpen of De Swaen in Zeeuws-Vlaanderen. Ook de hop komt van de groothandel, die het aanlevert in korrels of extract.

De meeste kleine brouwers gaat het om de lol van mout (geweekt, gekiemd en gedroogd graan, meestal gerst) en hop omzetten in smakelijk drinkbaar schuimend spul, variërend in kleur, geur, bitterheid en alcoholpercentage. Ze staan er lang niet allemaal bij stil dat de grondstoffen óók een verhaal hebben. Het Nederlandse landschap bijvoorbeeld, zou er flink van opknappen als er meer graan verbouwd werd. Bloemloze graslanden en maïs, dat is het tegenwoordig zo'n beetje. Meer variatie met graanakkers is mooier en is gunstig voor akkerflora en -fauna, die het vanwege de landschappelijke eentonigheid knap lastig hebben in Nederland. Bovendien: heeft bier niet, net als wijn, zoiets als een terroir? In Nederland niet of nauwelijks, tot nu toe. Er zijn wel een paar brouwers die er mee bezig zijn, zoals Harry Blekkenhorst, maar die geeft ook aan dat het lastig is om bier te brouwen met lokale grondstoffen: 'Ik zat als ambtenaar de hele dag achter het beeldscherm', vertelt hij, 'vandaar dat ik in 2007 – toen er nog maar 70 micro-brouwerijen in Nederland waren – bier ging brouwen en sinds 2010 fulltime. Ik vind het leuk om van een landbouwproduct een lekker drankje te maken, op een ambachtelijke manier. In de fabrieken sturen ze alles met meet- en regeltechnieken. Als de

brouwer 's morgens binnenkomt, is de eerste fase al klaar, terwijl ik het doe met een thermometer, een weegschaal en een klokje, in deze boerenschuur van nog geen honderd vierkante meter. Het is niet moeilijk, maar je moet wel opletten. Het kan bijvoorbeeld mis gaan met de reinheid van de vulmachines. Ik heb daar geen last van, want ik doe het allemaal handmatig.' Alleen voor het afvullen heeft hij een neefje dat regelmatig komt helpen.

'Mensen kopen mijn bier omdat ze het lekker vinden en het verhaal er achter klopt. Maar dat wordt mooier wanneer ik met regionale grondstoffen werk. Mijn klanten willen best een stuiver extra betalen voor bier dat echt uit de streek komt.' Makkelijk is dat niet. 'We hebben hier op de boerderij brouwgerst proberen te verbouwen, maar het eiwitgehalte bleek te laag, hier op niet zwaar bemeste zandgrond.' Hij deed mee met brouwgerstprojecten, samen met boeren en brouwers in de buurt. 'Pas na drie keer uitproberen, waren we tevreden over de kwaliteit van de mout.' Zo ging het eventjes goed met lokale grondstoffen, totdat ook dat weer stokte omdat het lastig was om afspraken te maken over een stabiele aanvoer. De brouwgerst uit de regio ging trouwens eerst op transport naar Nürnberg om daar te worden gemouten, want die paar Nederlands mouterijen willen geen partijen lokale gerst voor de te kleinschalige micro-brouwerijen mouten. Dat is de bottleneck voor vrijwel alle kleine brouwerijen die wel met regionale grondstoffen zouden willen werken, er is geen micro-mouterij. Dus moet bijvoorbeeld ook alle Texelse graan voor de Texelse bierbrouwerij eerst naar Antwerpen om het daar te laten mouten en daarna gaat het weer terug naar het eiland. Zelfs het graan van de Zuid-Limburgse Gulpener-akkerbouwers gaat eerst naar Duitsland. Dat mouten is trouwens een vak apart: 'Er komt nogal wat bij kijken', weet Harry. 'Je hebt een laboratorium nodig om het graan te testen. Je moet het graan vol laten zuigen met vocht, met het nodige risico op schimmels en bacteriën. Je moet het op gezette tijden keren en dan drogen. Ik durf het niet aan, maar weet zeker dat er brouwers geïnteresseerd zijn in een Nederlandse micro-mouterij.'

Op één plek in Nederland staat in ieder geval al wel een mouterij, in Bolsward. >>

en Uiltje uit Haarlem, Hertog-Jan uit Arcen, Koperen Kat uit Delft, Oersoep uit Nijmegen, Kompaan uit Den Haag en Guinness uit Dublin een hele serie bierworsten. Ze krijgen bij de ontwikkeling daarvan hulp van gerenommeerde chefs, zoals Jean Beddington, Bas Wiegel (De Kas) en Dennis Kuipers (Vinkeles). Het vlees komt van duurzaam gehouden varkens van Livar, Beemsterlant en Heyde Hoeve. Olijck voegt aan het vlees weinig toe, behalve kruiden, alcohol en pekelzout. Nipshagen: 'We maken de worst met respect voor dier, mens en milieu. Wanneer een varken een goed leven heeft gehad, proef je dat in de worst.'

Het nieuwe kopstootje
foto Jet Vugts

Het was een alledaags tafereel dertig, veertig jaar geleden. Je kwam de kroeg binnen, persjes op tafel, vier oude mannen aan de bar. Voor hun blauw dooraderde neus een glas bier en daarnaast een glaasje jenever met een kop er op. Dat duo >>

Midden in het rustieke stadje staat een gebouw met voor de deur een bijzonder plantsoen: lange rijen, zes meter hoge stokken met daar omheen slingerende klimplanten: hop! Logisch, bij een bierbrouwerij. De toegangspoort van

Er zijn gewoon bijna geen mouterijen die op kleine schaal willen mouten

Friese Bierbrouwerij en distilleerderij Us Heit staat open en biedt een blik op de brouwketels, de afvullijn en de houten vaten voor de whisky. Op de eerste verdieping, in het letterlijk bruine café met bar en bierbrouwattributen, vertelt Aart van der Linde hoe hij en zijn vrouw in 1985 zijn begonnen met bier brouwen. 'We hebben allebei levensmiddelentechnologie gestudeerd en na stages bij De Leeuw en Hertog Jan waren we verkocht. In een boerenschuur zijn we begonnen met brouwspullen die we in Duitsland en Tsjechië voor oud-ijzerprijzen hadden gekocht.' Het liep

al snel uit de hand en na een tussenstop op een bedrijventerrein, weggestopt tussen de Gamma en de Welkoop, zitten ze sinds 1997 in de voormalige school van de zuivelfabriek. Acht verschillende bieren brouwen ze èn ze stoken whisky en likeuren.

De brouwgerst kopen ze in bij akkerbouwers in de buurt. 'De kwaliteit kan plaatselijk zeer verschillen, vooral afhankelijk van het weer. Ik doe zelf de testjes om te kijken of het te vermouten is.' Daartoe heeft Van der Linde in de brouwerij een eigen bescheiden laboratorium en sinds 2007 een zelf ontwikkelde mouterij. Met dank aan zijn achtergrond als levensmiddelentechnoloog. 'De drie processen – weken, kiemen, drogen – wikkelen zich in een week tijd af in dit ene apparaat: dat is voor kleine partijen handiger dan wanneer je er aparte installaties voor hebt.' Veel werk is het wel. 'Als ik de prijs in uren ga berekenen voor mijn eigen mout, ben ik eigenlijk gek dat ik het niet inkoop. Maar het uurloon van de ondernemer telt niet, je moet zorgen dat je er lol in houdt.' Na het mouten volgt het brouwen, waarbij hij een van de vijf hopsoorten uit de

>>

noemen we een kopstoot. Nu de belangstelling voor ambachtelijk bier opbloeit, kent jenever ook een opleving. In Amsterdam is er zelfs een kopstootbar.
Wacht, dacht Arjan Smit van De Pronckheer in Cothen, daar kan ik wel wat mee. Na de rivierkreeft, de gans, de zwaan, de spreeuw en de muskusrat, vraagt hij nu aandacht voor

de aloude kopstoot. Hij maakt al een jaar of tien zijn eigen Levenswater en ander heerlijk gedestilleerd, sinds een jaar onder de oude Utrechtse naam Staffhorst. En nu heeft hij zijn eigen versie van een kopstoot bedacht: jenever gemaakt van bier! Dan kom je vanzelf terug bij de echte kopstoot. Je drinkt je speciaal biertje, bijvoorbeeld een Vleeghel, het sprankelende

witbier uit Veghel, met ernaast de jenever die Smit ervan gestookt heeft, op basis van het brouwersmout. Indrukwekkend is de gelijkenis in smaakprofiel. Het meest komt dat nog tot uiting bij de Ceaux Harvest, het zachte romige bier uit Utrecht met daarnaast de al even zachte jenever, waar de kardemom (de sinaasappelgeur) zowat uit het glas danst.

Smit: 'Ik heb me toegelegd op de kwaliteit van zowel het bier als de jenever. Als je dat hoppige proeft van Plukker, het bier van hopteler Joris Cambie uit Poperinge in België, begin je meteen te stralen. We hebben verder nog jenever op basis van de Drie Ringen uit Amersfoort en de Weizen van Maallust uit Veenhuizen. Straks heb ik ook nog een jenever van kersenbier in de aanbieding, van kersen van hier uit de streek. Daar verwacht ik veel van. Een kopstootje is om van te genieten, hoe langer hoe meer jonge mensen zijn daar naar op zoek. Ze storen zich aan al die algemene smaken.'

>>

voortuin gebruikt. De US Heit-bieren verkoopt hij alleen in Friesland, de Frysk Hynder single malt whisky gaat het hele land door.

'Als je bier maakt, is het eigenlijk logisch dat je ook whisky gaat stoken. In Schotland is die combinatie heel normaal. Om whisky te stoken, maak je feitelijk eerst bier, maar dan zonder hop en dat haal je door een distilleerder heen. Voor de whisky wijzig ik wel iets in het moutproces. Wat precies, is het geheim van de smid.' De Bolswardse whisky wordt minstens drie jaar gelagerd op oude wijn-, sherry- en portvaten. Zoveel mogelijk werken met lokale grondstoffen *is een heel persoonlijk dingetje*, voor Van der Linde: 'lang niet al mijn klanten zijn daar in geïnteresseerd. Ik denk wel dat er, als reactie op de anonieme economie en macht van grote bedrijven, steeds meer aandacht komt voor autonomie, voor dingen in je omgeving willen houden. Dat zoemt door alles heen.'

Een van de vele jonge honden onder de microbrouwerijen is Katjelam, dat in de oude Honigfabriek in Nijmegen zit. Op zoek naar het experiment, brouwen ze hier bieren als Tam (met geroosterde kastanjes), Goosie (met zeewier), Grätzer (met op eikenhout gerookte mout) en Zure Perzik met gemengde gisting en bijzondere fruitige aroma's. Brouwer Vincent Gerritsen zegt: 'We zouden graag met lokale mout werken, maar er is geen kleinschalige mouterij. Tegelijkertijd willen we alles biologisch. We kopen biologische mout uit Bamberg van uitmuntende kwaliteit.' Hij experimenteert wel met bijzondere granen uit de buurt, zoals zwarte gerst en Sint Jansrogge. Als toevoeging kan dat ook ongemouten, zoals bij de Brusselse Geuze en Lambiek. En soms gebruikt hij oud biologisch brood uit de buurt ter vervanging van een deel van de mout. De vlierbloesem en bramen, waarmee hij sommige bieren aromatiseert, plukt Gerritsen in de omgeving. De bieren hebben hun eigen *terroir* vanwege de gebruikte gisten. Maar op termijn moet ook de basis van het bier, het graan, zoveel mogelijk uit de buurt gaan komen. 'Ik ken meer brouwers die geïnteresseerd zijn in lokaal brouwgerst. Als dat er in gemoute vorm gaat komen, gaan we daar zeker aan mee doen.'

Stichting Land&Keuken werkt aan een kennisnetwerk Bier van eigen Bodem, info@landenkeuken.nl

---

Stout bij Oude Beemster en gerookte worst
Felix Wilbrink, de bierambassadeur van ons land, en schatbewaarder van honderden opgelegde bieren in Fort bij Spijkerboor, is blij met de langzaam zwellende zucht naar smaak. 'De mensen worden monterder en mondiger. We willen meer dan die afgesleten, algemene smaak voor iedereen. Vanuit het bier gooien we de wereld om naar de democratie van de smaak.'
Wilbrinks eigen hang naar bier draagt hij onomwonden uit: 'Met wijn wordt alles wrang. De mensen zweren bij wijn bij het eten, maar

alleen goede wijn doet de gerechten eer aan. Vaak is het vieze wijn en dan is het zonde van je geld. Kijk, Nederland is geen druivenland, Nederland is granenland. Nou, drink dan ook graan. Bier dus. En dat hoeft vooral geen eenheidsworst te zijn. Per tien kilometer kun je al verschil proeven.

Proeven leer je door het vaak te doen. Grote verschil met wijn is, dat je het door moet slikken, anders proef je niks. De zogenaamde retronasale effecten treden dan op, je neus is belangrijk. Bier smaakt bijvoorbeeld naar cognac, whisky of sherry. Er zijn veel mooie stijlen, waarvan stout een

belangrijke is met zijn dikke, bittere tonen. Stout en koffie liggen in elkaars verlengde, dat komt door het branden.' Bij Wilbrinks bierpairing voor een gezelschap Eurotoquers, proeven we vijf bieren: Praal als instapper, Vollenhove, Tevredenheid, Imperial en Ramses. De Vollenhove doet het best aardig met jonge

>>

Jij bent degene die het gerstbrood bakt
in de grote oven
Die de bergen met gepeld graan
sorteert
Ninkasi, jij bent degene die het
gerstbrood in de grote oven bakt
Jij bent degene die het malt in een kruik
weekt
De golven rijzen en de golven dalen
Ninkasi, jij bent degene die het malt
weekt in een kruik

In het kader van de Internationale Bierdag deed Mercure Hotels een groot **bieronderzoek**, uitgevoerd door iVOX, in samenwerking met **Rick van Kempen**, Master Beer Sommelier. Duizend Nederlanders en duizend Belgen werkten mee.

Enkele opvallende resultaten: Nederlanders zijn minder trots op hun bier, dan Belgen: bijna de helft van de Nederlandse bierdrinkers verkiest Belgisch bier boven Nederlands bier en 93 procent van de Belgische bierdrinkers verkiest Belgische bieren boven Nederlandse bieren.
Bier bij de maaltijd zit in de lift: zeventien procent van de Nederlanders zegt dat ze in de afgelopen jaren meer bier zijn gaan drinken bij het eten. **Barbecue** is het favoriete biergerecht van vijf op tien Nederlandse bierdrinkers. Pils is bij Nederlandse mannen én vrouwen het favoriete biertje.
Lokaal bier is populair: bijna vijf op tien Nederlanders kiest voor een lokaal biertje wanneer op reis in eigen land.
Nederlanders experimenteren graag met bier in het buitenland: 60 procent van de Nederlandse bierdrinkers drinkt in het buitenland meestal een lokaal biertje.
Vaker advies gevraagd onder jongere bierdrinker: van de Nederlandse bierdrinkers van 18-34 jaar vraagt 36 procent advies bij horecapersoneel tegenover 22 bij de senioren.

kaas. Bij de Tevredenheid past de Rode Jutter kaas van Terschelling als gegoten, de romigheid van het bier neemt toe. Bij de Ramses krijgen we gerookte ossenworst van slager Erik de Wit. De smaak van het bier wordt er voller, volwassener en helderder van. Bij de Imperial, een midnight Porter van madman Steve Brinkhorster, zorgt de Terschellinger schapenkaas ervoor dat de medicinale, laphroaig-achtige smaak beter doorkomt.

Bier van regenwater
Bij Brouwerij de Prael kun je sinds kort bier kopen waarbij gebruik is gemaakt van regenwater. Het bitterblonde bier, vergelijkbaar met een IPA, is gebrouwen in samenwerking met Bierbrouwer Hemelswater. Ze noemen het Code Blond. Het bier lijkt erg op de Prael's Bitterblond, met dit verschil dat Code Blond dus gemaakt is van echt 'vers' regenwater. Het is opgevangen op twee verschillende locaties, vervolgens gefilterd en gekookt. Het is uiteindelijk iets zachter dan Bitterblond. Initiatiefnemer Joris Hoebe hoopt dat veel cafés mee gaan doen met het opvangen van regenwater. In ruil daarvoor krijgen ze er een aantal weken later een heerlijke, verse Code Blond. www.deprael.nl

Bier in Nederland

Lange tijd werd bier gebrouwen van haver, tarwe, spelt en kruiden als gagel, slangenkruid, laurier, salie en duizendblad: gerst en hop kwamen er pas later aan te pas. In de vijftiende eeuw waren ze in Vlaanderen dol op Nederlands bier, vooral dat uit Haarlem (Jopenbier) en later uit Gouda. Er werd in Antwerpen zelfs een speciale losplaats voor Goudse schippers ingericht, het Bierhoofd. Na Haarlems en Gouds bieren waren er telkens periodes waarin bepaalde type bieren populair waren zoals lange tijd de zware Deventer bieren, die vooral 's winters warm werden gedronken, met suiker en nootmuskaat. Het zijn maar een paar weetjes uit het meer dan vierhonderd bladzijden tellende Bier in Nederland van Marco Daane, dat de ondertitel een biografie draagt. Vooral de enorme diversiteit aan grondstoffen, bereidingswijzen, lokale regelgevingen, smaken en kwaliteiten van de Nederlandse bieren, doemt uit het boek op. Wat hebben we eigenlijk een rijke biergeschiedenis. Terugkijkend hebben we gedurende een relatief korte tijd, vooral in de twintigste eeuw, in een bierwoestijn geleefd, met een eenheidsworst van pilsener, gebrouwen door mastodonten Heineken, Bavaria en Grolsch met een marktaandeel van 95%. Nu begint de woestijn op te bloeien, stormachtig zelfs. Echt nieuw is deze brouwcultuur in wezen niet. Er zijn weer ales, porters, stouts, witte en andere meergranenbieren. De diversiteit is terug, constateert Daane. Toch is er wel een verschil: Men beheerst het brouwen van dit alles tegenwoordig beter, met dank aan de gegroeide kennis en de moderne techniek. Hedendaagse creativiteit voegt daar bovendien oneindig veel variaties aan toe. Daane heeft een gedegen, deskundige en gedetailleerde biergeschiedenis geschreven, een belangrijke inspiratiebron voor een nieuwe Nederlandse biercultuur. (Michiel Bussink)

Uitgeverij: Atlas Contact
ISBN: 9789045028682
Prijs: € 21,99

Food+Bier

De fotografie is aan de donkere kant en dat maakt het allemaal wat serieus. Zo'n tachtig recepten waar je lekker bier bij kunt drinken. Australiër Ross Dobson gaat het kennelijk meer om de recepten dan het bier, als we op de foto's afgaan. Veel van de bieren die hij suggereert, zijn hier niet te koop en te onbekend om er een alternatief voor te bedenken. Zijn toelichting is tamelijk algemeen en de extra informatie voor de Nederlandse editie is alleen al vanwege de lengte een lachertje. Dat zijn de spreuken in de toelichtende intro ook: gezocht en oppervlakkig. Wat me vooral stoort is de ondergeschikte rol van het bier. Het eten en de recepten zijn oké, al is Dobson wel erg verknocht aan frituren en braden. (WJ)

Uitgeverij: Unieboek/Het Spectrum
ISBN: 9789000351251
Prijs: € 24,99

tekst **Drees Koren** | foto **Floris Scheplitz**

Eten verbouw je waar het gegeten wordt. Klinkt logisch en hoe ingewikkeld kan het zijn? Zet gewoon wat kassen en kweekvijvers op het dak van een afgedankt kantoorgebouw, doe iets met technologie en ambitie en klaar ben je. Toch?

Vis en sla uit de

Het bekt lekker, de missie om the fresh revolution te ontketenen. In normaal Nederlands: Urban Farmers wil voedsel terugbrengen naar de steden. Produceren waar de mensen consumeren. Weg met foodmiles, milieuvervuiling en oneerlijke handel. Leve lokaal en vers. Waarom zou je iets (of een heleboel) uit Verweggistan laten verschepen (en een maand in een container laten verpieteren) als je het om de hoek kunt verbouwen? In het oude Philips kantoorgebouw in Den Haag, of eigenlijk op het gebouw, opende UrbanFarmers (UF) de grootste commerciële dakboerderij van Europa. Daar begint de revolutie.

Lokaal? Ja. Vers? Ja. Revolutie? Laten we het hopen. De productie en de ambitie is er. Nu de klanten nog. UF richt zich op B2B en mag *as we speak* een stuk of twaalf Haagse restaurants tot zijn klanten rekenen. Supermarkten blijven moeilijk, vanwege de ingewikkelde distributiestructuren produceert zelfs de grootste dakboerderij van Europa nog te weinig om die te kunnen voorzien.

Lokale ondernemers? De Turkse supermarkt om de hoek? Daar zijn de geavanceerde tomaatjes en slaatjes weer iets te duur (10% duurder dan bio) voor. B2C dan maar? Ja, graag. De Schilde gooit de deuren open voor het publiek. Vooralsnog betekent dit dat je een afspraak mag maken voor een (betaalde) rondleiding, maar in de toekomst struinen hopelijk

drommen huismoeders, scholieren en buurtbewoners al plukkend langs de kassen en aquaria. UF fantaseert over yoga op het terras, kookworkshops en proeverijen. En een paar honderd Hagenezen hebben zich al (voor)ingeschreven voor een abonnement.

In cijfers telt de grootste commerciële dakboerderij van Europa in totaal 1570 vierkante meter, waarvan 1200 aan kas en 370 voor de vissen. Belangrijkste groenten zijn sla en tomaat, maar ook hier en daar aubergine, komkommer of wat kiemplantjes. In totaal levert dat jaarlijks, als De Schilde op volle stoom produceert, 50 ton groenten op. De tilapia's zijn goed voor 19 ton per jaar. Met twaalf restaurants komt dat neer op 80 kilo aan kroppen sla en trossen tomaten en 30 kilo tilapiafiletjes per week per chef. Gelukkig heeft Den Haag een half miljoen inwoners, dus genoeg monden om te voeden.

Het project heeft 2,7 miljoen euro gekost. Daarvan is 60% geleend (onder meer van de EU) en 40% bracht UrbanFarmers zelf mee uit Zwitserland, waar ze al eerder een dakboerderij bouwden.

Een kas op het dak zagen we al vaker, maar UF maakt zichzelf bijzonder door de combinatie van planten en vis, dat ze heel mooi aquaponics noemen, een samenvoeging van hydroponics (plantenkweek op substraat) en aquacultuur (viskweek). Tilapia's kennen we uit Zuidoost Azië, waar ze als sardientjes in een blik in veel te kleine kweekvijvers zwemmen, het water vervuilen met hun giftige uitwerpselen vol ammoniak, wat ze vervolgens opeten, maar waar ze niet ziek van worden, omdat ze profylactisch volgestopt zijn met antibiotica. Vis vol antibiotica en poep? Bah!

Aquaponics maakt tilapia weer lekker. De poep wordt uit het water gefilterd en door bacteriën gesplitst in nitraat en fosfaat, die ze als voeding voor de planten gebruiken. Ook de CO_2 uit de kweekvijvers wordt opgevangen en in de kas gebruikt. Dat levert schoon water voor de vis en een vruchtbaar klimaat voor de sla op; een duurzaam systeem waar geen antibiotica aan te pas komt. De plantaardige waste uit de kas zou gebruikt kunnen worden als visvoer, maar zo ver gaan ze nog niet.

Let op, wij verkopen geen tomaten, maar fabrieken waarschuwen de Urban Farmers. En ze noemen zichzelf lachend de *Starbucks van Urban Farming*. Als het aan hen ligt worden er daken over de hele wereld benut voor stadslandbouw. Het concept en het systeem is er, dus dat kun je -hup- oppakken en ergens anders uitrollen. In Tokyo, in Antwerpen, in Havana, you name it. Voor wereldwijd lokaal en vers eten in de stad.

www.urbanfarmers.nl

De Bouillonambassadeurs

Bouillon! mag zich verheugen in de belangstelling van een groeiend aantal restaurateurs, horeca adviesbureaus, wijnimporteurs en leveranciers van ambachtelijke producten. Zij dragen bouillon! een warm hart toe en als het maar even kan, wordt er aandacht besteed aan deze ambassadeurs.

Centrum Oosterwal, dermatologie & flebologie in Alkmaar, **Restaurant De Jonge Dikkert** in Amstelveen, **Mevrouw Hamersma Kookboekwinkel** in Amsterdam **Brasserie Van Baerle** in Amsterdam, **Sofitel the Grand Amsterdam** in Amsterdam, **Restaurant Halvemaan** in Amsterdam, **Slagerij Yolanda en Fred de Leeuw** in Amsterdam, **Rungis BV** in Barendrecht, **Culinair Centrum Beverwijk** in Beverwijk, **Restaurant Dorset** in Borne, **Kookschool De Kokkerie** in Delft, **Koken-op-maat** in Den Haag, **Restaurant De Piloersemaborg** in Den Ham, **Restaurant en Theater Bouwkunde** in Deventer, **Carl Siegert BV** in Harmelen, **Proefwerck/Wijnwinkel/Deli/ Kookstudio** in Hengelo, **Il diVino Wijnwinkel** in Hilversum, **Restaurant De Kromme Watergang** in Hoofdplaat, **Van Dis** in Hoogkarspel, **Restaurant Hendrickje Stoffels** in Hoorn, **De Eenhoorn, koffie&thee** in Kampen, **Manoir Restaurant Inter Scaldes** in Kruiningen, **Landhuishotel&Restaurant De Bloemenbeek** in De Lutte, **Spoon Culinair Centrum** in Loosdrecht, **Restaurant De Schans** in Montfoort, **Restaurant De Salentein** in Nijkerk, **Restaurant Vesters** in Nijmegen, **Zus&Zo Keukengerei** in Nijmegen, **Restaurant de Lindehof** in Nuenen, **Wijnhuis de Paap** in Papendrecht, **Restaurant 't Kalkoentje** in Rhenen, **Anfors, Importeur van Italiaanse en Spaanse kwaliteitswijnen** in Rotterdam, **Quartier Du Port** in Rotterdam, **De Mandemaaker** in Spakenburg, **Restaurant Het Diekhuus** in Terwolde, **Restaurant De Leuf** in Ubachsberg, **Restaurant Goesting** in Utrecht, **Restaurant Valuas** in Venlo, **Vlaamsch Broodhuys** in Vlaardingen, **De Treeswijkhoeve** in Waalre, **Van Spronsen&Partners horeca-advies** in Warmond, **Fromagerie l'Amuse** in IJmuiden, **Mobipers** in Zoelen, **Oldenhof Kookkado** in Zwolle, Hilversum, Amersfoort, Maastricht, Antwerpen en Brussel, **De Librije** in Zwolle

Wil je ambassadeur worden? Mail of bel 030 2280315/redactie@bouillonmagazine.nl
Zie ook de website: www.bouillonmagazine.nl/ambassadeur.php

bouillon!

leest

Bouillons boekrecensies geven koopadvies. B is goed, BB is bijzonder goed en BBB is super en Baron de Bouillon, BdB, voor een boek dat in alle opzichten een uitstekende indruk heeft gemaakt. Tekst, idee, vormgeving, fotografie en prijs bepalen de kwalificaties. Recensies zijn dit keer van Kathy Mathys, Norbert Mergen Metz en Will Jansen.

Zeven soorten honger BBB

Renate Dorrestein heeft iets met eten. Eerder schreef ze Het hemelse gerecht over twee zussen die een restaurant houden. Nu is er Zeven soorten honger, een vlotte en meeslepende komedie over een kuuroord waar managers met dikke auto's en dikke buiken hun levensstijl willen veranderen. Het woord afvallen nemen de bezielers liever niet in de mond: dat klinkt zo platvloers. Slagen de cliënten er niet in om hun streefgewicht te bereiken, dan betalen ze aan het eind van de rit een volledig jaarsalaris aan het instituut. Een flinke stok achter de deur dus. Dorrestein fileert onze samenleving waarin consumeren de belangrijkste activiteit is, waarin je geen film kan opzetten of er wordt gesmikkeld en gesmakt. De mannen hebben een maag die doet denken aan een bergmassief. Zet ze dus maar kruidenthee of courgettesoep voor, met daarin een eenzame shiitake. Geen wonder dat de cliënten chagrijnig zijn na het diner. Zoals altijd bij Dorrestein, stuwt een strakke en heldere plot haar verhaal vooruit; ze houdt niet van rafelranden. De titel is goed gevonden en onthult veel over waarom we eten. In elk geval niet alleen vanwege de honger. (KM)

Uitgeverij: Podium
ISBN: 9789057598012
Prijs: € 19,99

Franse kookkunst B

Recepten, kunst en columns uit de buik van de Ardèche. Nort van Hoof kenden we al van zijn eerste boek van wel twintig jaar geleden: Koken op een Berg. Hij is kok in hart en nieren en wil niets liever dan de mensen telkens verrassen met weer nieuwe smaken of combinaties. Natuurlijk voelt hij zich daar in het diepe Franse land als een vis in de vijver. Toch is de Ardèche niet per se het uitpuilende gastronomische koninkrijk, maar wel veel kruiden, tomaten, kastanjes, olijven, knoflook, worsten, kip, paddenstoelen, pruimen, schapen en citroenen. Dat komt allemaal aan bod in zijn nieuwe boek. Aangenaam gelardeerd met eetillustraties van Willem Weenink, met hier een gedicht en daar een column. Lekker oer-Frans zonder dat gênante kijk mij nou eens. De recepten zijn degelijk en helder verwoord. Aanrader.

Uitgeverij: Terra
ISBN: 9789089896988
Prijs: € 20,00

Mosselen BBB

Het mooie van de eindeloze reeks culinaire titels die er verschijnen is, dat individuele producten een heel boek krijgen, zoals de mosselen bij Piet Devriendt van restaurant Oesterput in Blankenberge. Devriendt is daar al sinds 1986 uitbater. Hij mocht op dance-event Tomorrowland en in Dubai al eens mosselen bereiden. In dit boek geeft hij meer dan 50 manieren om met dat schelpdier lekkere gerechten te maken. De culinaire fotografie is van hoog niveau, de vormgeving idem dito. De familiegeschiedenis past goed bij het concept. Je krijgt zin om er voor naar Blankenberge af te reizen. Een tof boek dus.

Uitgeverij: Carrera Culinair
ISBN: 9789048835748
Prijs: € 24,99

wat te denken van de hartige wafel met paling en foie gras? Wereldcombi. Wat? Nog nooit ceviche van zeebaars met zee-egel gegeten? Barbaars, mevrouw. Of hondshaaitempura met bloeddip? Wat doe je dan nog hier? De foodfoto's zijn van grote klasse. De illustraties lekker en daar waar de mannen op de foto geschoten zijn, lijken ze ontzettend veel gein te hebben. Indrukwekkend zijn vooral de series à la carte naar de Sopranos, Dexter, Californication en Baywatch. Zo maar goed voor een hele avond puur eetgenoegen, zelfs in een topresto.

Uitgeverij: Lannoo
ISBN: 9789401433280
Prijs: € 24,99

Mannen die koken BBB

Het echte mannenkoken is al gauw een bak vol clichés. Whisky, bier van de tap, toffe dames, glimmende spieren, dikke karbonades, lam aan het spit, vet, vuur en vooral veel lol. Tel daar nou eens schaapachtige, Belgische humor bij op en je moet vrezen voor een irritant boek. Niks is minder waar als we Mannen die Koken, powered by rock-fort, van de heren Laloo, Van Liefde en Vlegels open slaan. Nondekanonne, dit is andere koek. 'Fabulous food for foodlovers' allitereren ze ons naar binnen toe. Op de cover twee keihard lachende veertigers, lege en volle wijnflessen en een stuk goed dooraderd rood vlees op tafel. Ze gaan ons internationaal door de diverse keukens leiden met Vive les Belges, Soccer Schnabbels en Sorry, we're British. Het start met Quentin Tarantino's Delirium Day met onder meer apple pussie en negerinnentetten. Angel on a horseback is oesters met paardenfilet, waterkers, mosterd en druivenpitolie. Lekker man. Of

Nanban BB

Door de speciale manier van binden, valt het boek makkelijk open en blijft zo liggen. Nanban betekent Zuidelijke Barbaar. Zo noemden de Japanners de Europese handelaren die driehonderd jaar geleden aan de zuidkant van Japan voet aan wal zetten. Portugezen, Nederlanders, Chinezen en Koreanen kwamen om handel te drijven, maar mochten niet ver het land in. Vlees en geraffineerde suiker waren de Japanners toen nog volkomen vreemd. Dat de Japanse keuken meer is dan sushi en sashimi, rauwe gerechten, laat dit boek zeer uitgebreid zien. Het zijn stuk voor stuk warme gerechten. De Amerikaan Tim Anderson, die jarenlang in Japan woonde, komt eerst met bijna 30 basis ingrediënten, neemt je dan mee naar de basisrecepten en vervolgens leert hij je over ramen, kleine en grote gerechten, gegrilde gerechten en

JAPANESE
SOUL FOOD

nanban

Tim Anderson

desserts. Ook laat hij zien hoe je in Japan eet, hoe je je er staande kunt houden en geeft leveranciers en boeken. Het is een boek waar de gedrevenheid en de liefde voor deze hoog ontwikkelde keuken uit elke bladzijde ademt.

Uitgeverij: Fontaine
ISBN: 9789059566606
Prijs: € 29,95

Studentenkost
Dat is weer een apart volkje die studenten. Die eten ongezond en nauwelijks gevarieerd als ze het zelf maken of ze malen doorgekookt eten in de mensa naar binnen. Dat moet anders. Vandaar dit boekje met 50 recepten voor beter en gevarieerder eten. Niks bijzonders: kip, zalm, mosselen, ham, ei, kaas, veel graanproducten, erg weinig groente. Beetje kinderlijk vormgegeven, maar wel duidelijk in de aanwijzingen: ingrediënten, aanradertjes en Daar gaan we! Met telkens drie of vier richtlijnen. Het kan zowat niet simpeler en dat is ook de bedoeling.

Uitgeverij: Manteau
ISBN: 9789022332696
Prijs: € 14,99

Groot Aziatisch Kookboek B
Een heruitgave van Charmaine Solomons dikke pil over Aziatisch koken, dat ze schreef toen we hier nog geen producten hadden als nam pla, kardemompeulen, vers citroengras, laospoeder en tamarinde. Solomon, die destijds in Australië woonde, weet de onderling sterk verschillende keukens van Japan, Korea, Indonesië en Vietnam onder één noemer te brengen, wat moeilijker is dan een boek maken over de Franse, Italiaanse en Noorse keuken en het Europees noemen. Het grote verschil tussen de eerste verschijning van Groot Aziatisch Kookboek en nu is, dat de ingrediënten tegenwoordig wel overal te koop zijn, als je er een beetje moeite voor wilt doen. Bovendien zullen veel mensen de gerechten herkennen omdat ze in de besproken landen geweest zijn. Mooi moment voor een hernieuwde kennismaking. Kosmos is een indrukwekkende serie aan het opbouwen waaraan met dit boek - na Groot Indonesisch Kookboek, De Italiaanse Keuken en De Franse Keuken - weer een mooi deel is toegevoegd.

Uitgeverij: Kosmos
ISBN: 9789021562791
Prijs: € 24,99

'Uitzonderlijk goed geschreven en authentieke recepten.'
New York Times

Groot
Aziatisch
kookboek

CHARMAINE SOLOMON

Greek BBB
Een harde cover is tegenwoordig een must en een Engels titel ook. Dus Greek voor de keuken van George Calombaris. Die man is van 1978 en doet al in 2006 de deur open van zijn eigen Press Club, schrijft een plankje boeken en opent vervolgens vanaf 2013 tien nieuwe zaken. Busy man. Werkte met de groten der aarde zoals Marco Pierre White, Heston Blumenthal en Antonio Carluccio. In zijn Greek gaat hij diep in op de geheimen van

zijn Griekse keuken. In dips, snacks, souvlaki, salades, desserts, drank en de keuken van zijn moeder, alles is Grieks, behalve hijzelf, want hij is van Australië. Hij vindt dan ook dat je in een Griekse salade best mag rommelen, als je de herkomst ervan maar respecteert. Zijn moeder is Grieks Cypriotisch, zijn vader Egyptisch, dus het mixen en mengen is hem al vroeg bijgebracht. De basis? Dat is filotimo, je vriend eer bewijzen, dat is rasecht Grieks en eigenlijk niet te vertalen. Het gaat om genegenheid, gulheid en gastvrijheid. En dat komt spetterend tussen de pagina's vandaan. Wat een feest, wat een foto's en wat een opmerkelijke vormgeving.

Uitgeverij Good Cook
ISBN: 9789461531479
Prijs: € 29,95

Rijksmuseum Kookboek BB

Het Rijksmuseum Kookboek dat in de zomer van 2016 verscheen, is op zichzelf een kunstwerk. Culinair-historisch koppelt het een vijftigtal ingrediënten aan (details) van kunstwerken. Telkens geven hedendaagse chefs en patissiers er hun interpretatie op. Het boek is een hebbeding voor iedere culi met gevoel voor kunst en culinaire geschiedenis. De teksten zijn van Jonah Freud en Irma Boom heeft de vormgeving gedaan. Het boek telt meer dan zeshonderd bladzijden. De typisch Hollandse ingrediënten die verwerkt zijn, staan als kunstobject afgebeeld of kun je daarmee associëren. Ze komen voor in de collectie van het

Rijksmuseum. Echt volledig is het boek niet. Het is dus geen canon van de Nederlandse keuken en geen culinair ABC, zoals de begeleidende marketing suggereert. Van de letters D, I, J, N, Q, T en X zijn er geen bijdragen en de cultuurhistorische informatie ontbreekt regelmatig of stelt de zaken anders voor dan ze zijn. Zeewier is bijvoorbeeld het eten van de toekomst, alikruiken zijn armeluisvoedsel en paddenstoelen eet de Nederlander niet. Misschien niet bij Freud in de keuken, maar elders heeft de paddenstoel een rijke culinaire historie. Ook zien we behalve de paling geen zoetwatervis. Hoe kan dat nou? Geen forel, zalm of snoekbaars op de schilderijen? Dan de vormgeving van Irma Boom, daar is veel om te doen. De bladzijden zijn gemaakt van bakpapier. Dat is doorschijnend, wat niet handig is als je een recept wilt maken en de illustratie aan de achterkant er doorheen schijnt. Bovendien is bakpapier erg vlekgevoelig, dus onhandig in de keuken. Dat is jammer, want die recepten zijn zonder meer goed en ook eenvoudig te bereiden. Al met al is het dus geen canon en geen ABC van de Nederlandse keuken, maar wel een verrekte mooi boek. (NMM)

Uitgeverij: Rijksmuseum en De Kookboekhandel
ISBN: 9789082543704
Prijs: € 45,00

Wie werkten er mee aan dit nummer:

Door **Henk Bente Aalbersberg** luisteren we in het vervolg anders naar koerende duiven. **Renate van der Bas** laat haar eigen vleugels voorlopig niet afknippen. **Fredie Beckmans** is net zo onvindbaar als de lekkerste worst. **Ynske Boersma** gaat zich te buiten aan tetí. Of het helpt? **Donald Buijtendorp** vraagt zich af waar het woord ongans vandaan komt. **Michiel Bussink** weet van koek en bier. **Boye Jansen** laat zijn foto's dansen. **Anneke Kooijmans** ademt geroosterde maïs en chilipeper. **Drees Koren** eet een hoogedel patatje. **Esmee Langereis** breekt een drank-lans voor Zuid Afrika. **Peter Lippmann** doet het met poedersuiker. **Kathy Mathys** meimert over witbrood en verse melk. **Robert Moossdorff** is totaal versoest. **Lot Piscaer** laat Ferran Adrià links liggen. **Margot Schachter** ontmoet de monsùs van Sicilië en **Jacques Meerman** vertaalt dat vakkundig. **Floris Scheplitz** maakt heldere beelden van hogere sferen. **Marja Slinkert** krijgt les in Iraans koken. **Hanneke Spijker** kocht een kilo bonnotte en zit nu op zwart zaad. **Sanny Visser** kiest precies de goede taxi en **Martin Woestenburg** beziet het landschap en weet...

©2016 Bouillon Culinaire Journalistiek

Hoofdredacteur: **Will Jansen**
Administratie en organisatie: **Anka Jansen**
Cover: **Peter Lippmann**
Vormgeving: **Harald Slaterus**
Webmaster: **Lennaert Jagt**
Fotocredits: **Dreamstime, iStock, Freepik, Wallpapers, Getty, Colourbox**
Drukwerk: **Wilco Art Books, Amersfoort**
Verpakking en verzending: **BGR/Utrecht**
ISBN: **978-90-77788-53-0**

Advertenties, abonnementen en vorige nummers via:
Redactie bouillon!
Iepenlaan 55
3723 XE Bilthoven
030-2280315
redactie@bouillonmagazine.nl
www.bouillonmagazine.nl

Bouillon-abonnees van de papieren versie, mogen bij de redactie (gratis) de pdf van het laatst verschenen nummer opvragen. U kunt bouillon dan ook op uw iPad of eReader lezen. Mail naar redactie@bouillonmagazine.nl